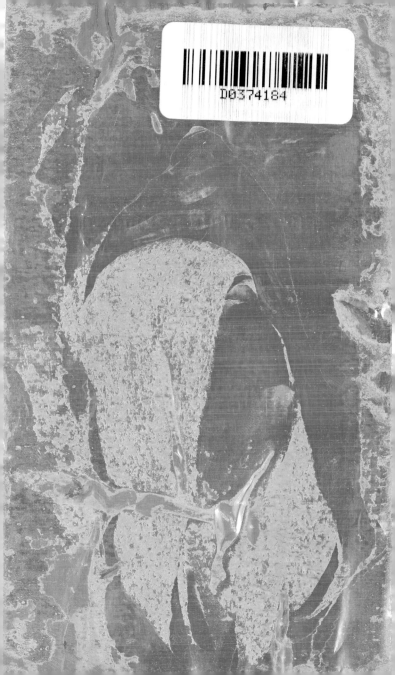

MADRID

ROSA M.ª PEREDA

GUILLERMO
CABRERA INFANTE

3

ESCRITORES DE TODOS LOS TIEMPOS

ESCRITORES DE TODOS LOS TIEMPOS
Colección dirigida por
Mauro ARMIÑO

EDAF, Ediciones-Distribuciones, S. A.
Jorge Juan, 30 - Madrid, 1979

Depósito Legal: M. 2684-1979

I. S. B. N. 84-7166-608-1

IMPRESO EN ESPAÑA   PRINTED IN SPAIN
———————————————————————————————————————
A. G. Ruimor - Plaza M.ª Pignatelli, 2 - Madrid-28

INDICE

ESTUDIO

ANTOLOGÍA

*Para Manuel Pereda de la Reguera
y Marichu de Castro,
mis padres.*

ESTUDIO

Guillermo Cabrera Infante, a quien ahora creo poder llamar amigo mío, ha sido durante mucho tiempo una auténtica obsesión. Comenzó cuando la lectura fascinada de *Tres Tristes Tigres* a mitad de la carrera de Filosofía y Letras, trastornó un intento precoz de *tesina* sobre algo que me había arrastrado algunos meses y que luego fue cobrando irresistibles acentos de sordidez. *Tres Tristes Tigres*, era un reto permanente, un juego gozoso y una reflexión amarga sobre cierto mundo —ahora intuyo que sobre casi todo el mundo— de alguna manera inexcusable, del que no hubiera podido escapar. No era, y eso es cierto, la primera *novela moderna* que leía, ni siquiera la primera novela latinoamericana. En su momento había caído en las redes de *Rayuela,* de *Paradiso,* de *Cien Años de Soledad*. Seguramente, en todas encontré esa frontera que es un triunfo ganar, esa batalla fabulosa con la dificultad del libro. En *Rayuela,* mi cabeza debía sortear las paredes de su arquitectura, en *Cien años...* olvidar los fáciles, confusos entramados laberínticos, invitadores, entonces, a la genealogía sociológica más que a la explicación fantástica. Con *Paradiso* no sé si me hubiera atrevido: es mucha la

frialdad y mucho el exceso. *Tres Tristes Tigres* me
alcanzó a otros niveles: más vitales, más cercanos,
seguramente, más irracionales. Juan del Enzina fue
abandonado, y ahora pienso que no perdí nada: en
Enzina había un mundo de invención, que era pura
preñez de futuro y puro artificio literario, a veces
inocentemente primitivo. Había el final de un mundo
medieval que agonizaba, y el principio de otro,
supuestamente mejor, pero contra el que el escritor, el
autor teatral consciente en la práctica de su individua-
lidad fáctica, se quejaba. Luchas, amarguras, en el
nacimiento, en cierto modo, de la modernidad.

Aplaudido por una corte noble, escudado en
cargos eclesiales, el gozo del paganismo renacentista
iba entrando en su escenario, y le obligaba, a él, a
afilar el estilete de su lenguaje, a complicar la
arquitectura de sus piezas, que bordeaban lo
prohibido y lo desconocido sutilmente, para poder
excusar el pecado de escándalo.

Creo que TTT atrapa el final de un mundo. Creo,
firmemente, que aguza su lenguaje y sus mitos,
absolutamente profanos, imposibles, iconoclastas, en
un intento de escapar del rechazo que puede ser
gritado, que toca el nuevo orden que Cabrera ha
vivido, y sobre todo al antiguo, para que no se sienta
lo irreductible y peligroso de la voz individual allí
donde alienta un Estado. Creo que desde sus páginas
palpita la preñez de un tiempo nuevo, abierto,
prometido, a la vez que la puntilla definitiva a un
orden que aún soportamos, y que parece impasible
ante tamaña subversión. Creo que una lógica nueva,
una imaginación nueva, asaltan al lector desde la
primera entrada en el libro, y que esta propuesta, o
lleva a otro entendimiento de lo real por extrañas vías

que no me atrevo a afirmar como analógicas, o, al menos, le coloca en el territorio de la perplejidad: primer paso, primera reflexión imaginaria, que, con suerte, le conduce, al menos, al escepticismo.

No creo que se pueda llevar hasta el final la comparación entre dos épocas y dos personalidades tan distintas. Sí quiero hacer notar que lo que me atrajo de Enzina fue su desparpajo para nombrar la multiplicidad de los dioses, que es como no nombrar ninguno, o como negarlo, y la afirmación oblicua de la voluntad soberana del hombre individual, en una sociedad estamental, en que hombre, familia, nombre y tierra se sienten todavía vinculados por otros lazos que los de la posesión, o el trabajo, o las querencias. Su afirmación del suicidio y la blasfemia de una Venus capaz de resucitar los muertos, le podrán llevar más tarde a Tierra Santa, pero antes, a la gloria, absolutamente terrena, de la corte papal. Y allí —y en la más árida Salamanca— la recuperación individual de lo más carnal y diario de la felicidad. Eso que no puede ser dejado para mañana, ni cedido a mejores tiempos, salvo elección igualmente individual. En suma, un concepto vivo de la libertad.

No me cuesta encontrar esto en la obra de Guillermo Cabrera Infante: ni tampoco la pasión por los números, que llega —en los dos— hasta la cábala, la delicia de la selección de nombres, que en uno adelanta y en otro recoge sutilmente la tradición de los emblemas —o de las acumulaciones de sentido, por atracción mágica de mil significados, y el recuerdo de tantos otros—, ese amor notorio por la música viva, y por la armonía musical, profundamente racional, aunque sea por extrañas vías en que las pitagóricas son sólo las más visibles, y hasta la elección del tema amoroso y de las lenguas que suenan populares, o que lo son, por mucho que a uno y a otro se les haya dicho que el cubano que escriben es pura fabricación, o que el *sayagués* jamás fue hablado.

Hay algo más: creo que la diferencia que me volvía insoportable seguir con Enzina estaba en la atracción infinitamente viva que me ofrecía mi propio mundo. Al fin y al cabo, aunque la literatura siempre es analogía de lo real —que adelantando lo que dirá más adelante el propio Cabrera, siempre es sólo *realidad* en literatura—, el juego de relación entre las piezas del prerrenacentista y el mundo de los últimos años sesenta en la universidad española era, como poco, complicado para mi curiosidad.

En un tiempo de aguda conciencia política —y éste es un fenómeno constatable entre la juventud de mi generación, ajena a cualquier pacto social o político, aunque esta imposibilidad se debiera entonces a la ceguera y omnipotencia del poder, por un lado, y al optimismo revolucionario que, como un nuevo fantasma, recorrió Europa, y América, y hasta hizo temblar pilares del mundo socialista—, en un tiempo de aguda conciencia política, que se volvía entonces casi heroica, en la clandestinidad y la esperanza extenuada en la salvación colectiva, en la felicidad colectiva, y cuando, después de todo, el *dogmatismo* de la joven izquierda no era sino un mal justificable, un asidero de creencias y un trampolín de acciones, finalmente peligrosas (podían acarrear, y pueden, la cárcel y la tortura), entonces, digo, la máquina demoledora de G. Caín podía abrir y abrió brechas en mi cabeza. En algunos mitos: la búsqueda de testimonios cubanos que me explicaran su exilio, por ejemplo, me hicieron tropezar, al poco, con el terrible caso

Padilla, que me llevó irremediable a los recuerdos de los Procesos de Moscú: entiéndase que ninguna responsabilidad histórica, ningún precio vital podía hacer tambalear entonces ninguna teoría política, y menos las basadas en la crítica viva al stalinismo. Honradamente, aún pienso que los vivos no son responsables de los muertos que acarrearon sus padres ideológicos. Pienso también que no hay ninguna ideología *inocente,* ni siquiera aquellas que en ningún momento lograron hacerse con el poder o con alguna de sus parcelas —y qué confuso, lo de las parcelas de poder—, ni aquellas que jamás constituyeron un Estado, o parte de un Estado, ni siquiera las que niegan el Estado. Sí creo, en cambio, que hay jerarquías de valores. Y, libremente, prefiero algunas, sobre otras.

Entonces, la teoría política —el marxismo, el trotskismo— se planteaba vitalmente, con ansias abarcadoras de la totalidad de la conducta, del pensamiento, de la creación. Y ahí era donde el reto Cabrera Infante fue más duro: curiosamente, en la Universidad española de entonces únicamente leía la izquierda. Por supuesto, que en el caso de CAIN, la cosa era más flagrante: y en el de *mi* Universidad (Deusto, de los Jesuitas, Bilbao) aún más: me temo que los niños y niñas de derechas de entonces, de haber osado abrirlo, se hubieran sentido molestos. Y estoy casi segura de que no lo hicieron, tal vez, nunca. En el caso de la izquierda, creo que estábamos demasiado ocupados en analizar el movimiento estudiantil o los sociales, para relacionar incluso concepciones literarias más o menos *ortodoxas* —que alcanzaban en general para discutir métodos de crítica o tumbar textos— con la novela, digamos, de *lectura libre*. El reto de TTT estaba en entrar, impunemente, en el ámbito de lo explicable desde el propio punto de vista ideológico: ponía a prueba la ideología misma, y dejaba al descubierto las *lagunas* conceptuales y metodológicas que, incluso a aquel nivel, no precisamente altamente científico, se manifestaban a la hora del análisis. Puedo decir también que sólo fue escaso problema, desde mi mundo ideológico, la *calificación moral* de *Tres Tristes Tigres*, y en este sentido la ideología salió vencedora (otras no podrían). Yo entonces califiqué la novela —suena pedante pero es cierto— de objetivamente revolucionaria. Creo que lo mantengo. No sé si con tanto calor como en algunas discusiones de entonces.

Lo cierto es que comencé a trabajar sobre TTT, y sobre la persona de Cabrera Infante, y sobre la literatura latinoamericana, especialmente del *boom*. Que para poder deshacer la charada —intentando conservar, al menos a ciertos niveles, la inocencia primordial de aquella primera lectura sorprendente— me vi obligada a leer a los estructuralistas y adláteres, para dotarme de un método que, en medio de la entonces viva polémica entre estructuralismo y marxismo, en mi caso dio un resultado perfectamente ecléctico. Tengo que agradecer a Umberto Eco que, involuntariamente, guiara la concepción de la literatura actual que me voy haciendo poco a poco. Y digo involuntariamente, porque su *Obra Abierta* —y no sólo ésa— apadrinó mis trabajos más quizá que ningún maestro en vivo.

La *tesina* con que me licencié fue, pues, sobre *Tres Tristes Tigres*. Inmediatamente después comenzó la elaboración de un libro, que quizá algún día se publique, y la relación, por carta, con Guillermo

Cabrera Infante. En esta aventura enrolé a las personas cercanas: para ellas mi agradecimiento. Para el primer encuentro personal con él —y con Miriam Gómez, su mujer— tuve que esperar algún tiempo más: la dedicación —sentida desde el trabajo con *Los Tigres*, y comenzada únicamente cuando éste terminó— a la crítica literaria, tomado ya el gusto a responder por escrito al duelo abierto por textos conflictivos, preferidos casi siempre, me ha abierto un nuevo trabajo: la prensa viva y para *El País*, en una entrevista *al alimón* con Angel Sánchez Harguindey, fue el primer encuentro.

Recuerdo que en el hotel madrileño en que se hospedaban, con ellos estaba una persona que no puedo dejar de nombrar, porque tiene tanto que ver con la siguiente marcha de mi vida, y en concreto, con la amistad, cada vez más entrañable y personal, con los Cabrera Infante: Marcos Ricardo Barnatán.

Desde entonces, su casa londinense me ha sido abierta. He podido vivir de cerca, tras las obstinadas y frecuentes invitaciones a ella, la hospitalidad de Miriam Gómez, sus comidas y sus *cócteles* perfectos, su conversación infatigable. Su curiosidad infinita.

Creo que de los dos puede decirse que son *liberales* en el sentido más digno de la palabra. Por su casa siguen desfilando, cada vez que tocan Londres, la vasta secta de los intelectuales latinoamericanos, con alguna escasa excepción, nunca debida a la intolerancia de estos maravillosos anfitriones. Y cada vez más, la de los españoles, afincados o no allá. Tengo la experiencia de que no preguntan credo ni color, ni ideas ni inclinaciones. Creo disfrutar también la amistad de su hija Carola, incluso la de Offenbach, mucho más hosca y celosa. Guillermo, que mima a su gato siamés, dice que sus intentos de agresión son puro teatro.

En su casa se ha gestado este libro. Allí discutimos, en un *tira y afloja* de gustos entre Guillermo, Miriam y la supuesta antóloga, la selección de textos que forman sin duda lo mejor de él. Allí se gestó y se contestó un largo cuestionario: Guillermo Cabrera, dando su visión totalizadora sobre casi todo lo divino y lo humano, sobre su escritura y su persona, sobre sus obsesiones y sus cariños: una entrevista que convierte este texto en un auténtico *par lui même*.

Por todo esto, y porque si ustedes quieren pueden saltarse la parte que me corresponde, y que sigue, es por lo que considero pertinente —aunque impúdica— esta confesión, este prólogo que antecede a lo dicho. Y que de alguna manera tiene mucho más que ver, de lo que parece —malparodiando de nuevo a G. C. I.— con la obra de Cabrera. No se me olvida, además, la frase de Barthes que conservé como de cabecera y aún conservo: recordando que no hay crítica *inocente,* porque ninguna, ni la más aséptica, puede instalarse fuera de las corrientes sociales, de las *ideologías*, de las concepciones del mundo, dice: "Toda crítica debe incluir en su discurso (aunque sea del modo más velado y más púdico) un discurso implícito sobre sí misma; toda crítica es crítica de la obra y crítica de sí misma". Una manera de hacerlo es, a mi modo de ver, mostrar las génesis y las posiciones de partida. Si además se deshace —ya que esta vez es posible, porque es verdad— el mito de la objetividad del crítico, con la declaración expresa de la amistad y el cariño por el criticado, mi conciencia queda tranquila.

(En el fondo, falta apenas decir que Barthes ha olvidado lo obvio: en cada crítica, el crítico habla, voluntaria o involuntariamente, de sí mismo.)

R. M.ª P.

Madrid, 26 de septiembre de 1978

GUILLERMO CABRERA INFANTE, O LA CONSTRUCCION DEL MITO

Cabrera Infante nació el 22 de abril de 1929 en Gibara, un pueblecito de Oriente, esa provincia cubana donde parece haber nacido casi todo el mundo. Todavía niño, fue trasladado a La Habana, la ciudad que se instauraría en uno de sus más poderosos amores, arrastrado en la emigración de su padre. El que éste fuera uno de los fundadores del Partido Comunista, y que su dedicación estuviera en las publicaciones del partido, tuvieron que influir en esa otra pasión: la escritura. Así mismo, y ya adolescente, las amistades paternas le introducirían en el mundo bohemio, politicón y esteticista de la noche habanera, y del día, que encontró en Cabrera su mejor cronista. En 1947 empezó a escribir, cambiando la medicina en ciernes por el periodismo en activo: pasó por la corrección de pruebas, por el artículo pagado por pieza, por la crónica fija y popular. En 1950 ingresó en la Escuela de Periodismo, de la que fue expulsado por *rojo*, dos años más tarde: un cuento antiyanki e inmoral fue el texto y el pretexto del castigo. Luego se casó por primera vez con la que sería la madre de sus dos hijas, y empezó a hacer crítica de cine para una de las revistas más populares y leídas en la Isla: *Carteles*. En *Tres Tristes Tigres* se siente esta publicación. Entra en contacto con los grupos intelectuales, manteniéndose —según propia confesión— al margen de las banderías literarias o políticas: de esa época conserva Guillermo Cabrera Infante buenos amigos, muchos en el exilio y otros en el poder Revolucionario. De entonces viene su conocimiento personal de Fidel Castro, del grupo de estudiantes revolucionarios, el Directorio Estudiantil que no sin dificultades se integraría más tarde en el Movimiento *26 de Julio;* de los líderes comunistas de entonces y de los que se harían comunistas más tarde. Su función fue como de puente entre las vanguardias literarias y bohemias y la naciente burocracia del Estado Obrero cubano y del partido que se construía paralelamente. Respecto a estos últimos, sospecho que Guillermo Cabrera Infante fue lo que se llama, y no precisamente con pudor, *compañero de viaje.*

Para referirse a esa época, Guillermo habla de su *trotskismo original:* el adjetivo, aludiendo por supuesto a algo sentido como del principio de su ideología, de los orígenes de su confesionalidad política. Con Trotski se identifica sólo en la vocación literaria y publicista, en la preferencia por la labor intelectual, en el atractivo irresistible de la novedad en el arte, y ahora, en cierto aire físico que recuerda al jefe revolucionario ruso. Pero nunca le perdonará, según propia confesión, asuntos como el de los marinos de Kronstadt.

Con la Revolución —a la que Cabrera Infante acusa de traidora, de incompleta, burocratizada y destruida—, su capacidad creadora se verá potenciada en los *años dorados:* fundará y dirigirá la Cinemateca de La Habana, estará entre los dirigentes del Instituto de Cine cubano y de la Asociación de Escritores, y dirigirá el *magazine* literario *Lunes de Revolución,* hasta su clausura gubernamental, en 1961. En este suplemento del diario *Revolución,* se publican textos de vanguardia, y se llevan adelante polémicas públicas en torno a una política cultural que todavía entonces estaba sin marcar. En el séquito de Castro, viajará por América Latina y Europa y por la Unión Soviética.

En 1961 se casó con la que hoy es su mujer, la actriz y bailarina Miriam Gómez: con ella viaja a Bélgica, en 1962, como agregado cultural. De entonces son algunos de los textos publicados últimamente. Y para esos días habían aparecido ya en Cuba, *Así en la paz como en la guerra* (1960), una colección de cuentos que es en realidad antecámara de novela, y *Un oficio del Siglo XX,* una selección de sus críticas de cine, en cuya estructura asesina, Cabrera Infante mata a su sosias, *G. Caín,* verdadero autor del libro, al tiempo que consigue integrar en la ficción de un raro manuscrito lo que aparentemente es sólo afición y oficio menor, el de crítico cinematográfico.

En 1964 gana el premio *Biblioteca Breve,* que entonces era uno de los más prestigiosos de habla castellana, con su novela *Vista del amanecer en el Trópico.* En 1965, a la vuelta del viaje último a Cuba, en la ruptura con la revolución, la novela se convertiría en *Tres Tristes Tigres,* tras retirarle lo fundamental de lo publicado años más tarde con el viejo nombre, y añadirle algún capítulo notable. La muerte de su madre, ocurrida precisamente en esas fechas, no es en absoluto ajena al tema.

Tras una estancia en España, cortada por la desconfianza de las autoridades ante el pasado revolucionario de Guillermo Cabrera —todavía, su último viaje a Madrid hubo de ser tramitado de modo extraordinario ante la embajada española—, fijará su residencia en Londres. Desde allí verá publicados los demás libros, y trabajará en los futuros: *O, Exorcismos de esti(l)o* y *Vista del amanecer en el Trópico* (los textos que quitara en la primera redacción de *Los Tigres,* y que, cargados de escepticismo y paciencia ante la censura española, se publicarán años después). Desde Londres llevará adelante su trabajo cinematográfico, en la escritura de guiones *(Vanishing Point,* por ejemplo) o en la vigilancia de la versión en español de algunas películas *(Star Wars* es la más reciente). Y desde allí, en un costoso y sufrido proceso de readaptación (Cabrera se refiere a estos tiempos hablando de *su locura),* relanzará su trabajo de crítico, cronista y publicista diario, retomando su pasión de siempre por la vida cotidiana, y particularmente por los márgenes, los síntomas, los indicios de un cambio en la mentalidad de las juventudes y de la sociedad entera, que a veces se llaman movimientos artísticos, otras modas, otras veces cine, y muchas, banderías juveniles que casi siempre tienen que ver con la *crónica negra* de la gran ciudad. Pero que, al fin, son rasgos expresivos que dibujan el talante de un tiempo.

La vida es, pues, el eje sobre el que escribe y vive Cabrera Infante. Y todos sus textos, como su biografía, van a moverse precisamente en la rica contradicción entre observación y pasión, entre la crónica y la escritura, entre el movimiento y la quietud, entre el cine y la literatura. Algunas veces, particularmente en esa inmensa novela que es *Tres Tristes Tigres,* pero también en otros libros suyos, estas contradicciones se han confabulado y desde ellas se ha construido un universo. Porque, como escritor o como periodista,

Cabrera, siempre, es el creador del mito, el que levanta, a la categoría de imagen plástica y vital, terrible y modélica, lo que sin la palabra no es sino hechos de lo cotidiano, y que él, al nombrarlos, escribiéndolos, les da verdadero carácter de existencia. Pueden llamarse novela rosa o *punks,* el cabaret Tropicana o la historia de Cuba: Umberto Eco llama *poética de la epifanía* a este tipo de omnipotencia.

Hasta el momento, y en tanto no lleguen a aparecer esos títulos largamente prometidos —*Libro Húnico, Cuerpos Divinos...*—, la obra literaria de Cabrera Infante se vertebra en torno a su gran novela, *Tres Tristes Tigres.* Allí, especie de centro neurálgico de donde nace toda la particular energía prefigurada en lo anterior y extendida a lo escrito después, se concreta una poética y una visión del mundo, particulares y, a mi modo de ver, permanentes en el total de su cuerpo poético.

Tres Tristes Tigres, o como él prefiere, TTT, es una novela *abierta* en el sentido que da a la palabra Umberto Eco: un texto que se propone como metáfora sustitutoria del mundo, y que, como el propio mundo, encierra en sí mismo su razón de existencia. Un universo cerrado, con sus propios códigos, sus propios mitos, sus propias vías de comprensión. Un sistema complejo de relaciones que se entraman y se interfieren en su interior, con [aparente] independencia de lo real exterior a la novela, de manera que en su estructura, compleja como la de la realidad misma, encuentra los elementos de conocimiento y relación. Que no sólo sirve para el entendimiento racional, y sobre todo plástico, extrarracional, de la propia nove-

la, sino que, de manera analógica —es decir, a modo de
ejemplo, por semejanzas y diferencias oblicuas—, se
ofrece como modelo de comprensión del mundo. Y más
aún: como sustituto del propio mundo, que, en
la lectura, desaparece como objeto de conocimiento
para ser suplantado por este universo autónomo, pro-
gresivo, que es el libro.

Novela abierta significa también que, *de la misma
manera* que la realidad, el libro admite varias
lecturas, es decir, varias comprensiones; que éstas no
siempre, pero algunas veces, son racionales y entonces
exigen del lector —como la vida misma— el esfuerzo
de la ordenación y hasta la matemática, que en esta
interpretación-ordenación el lector juega con sus
propios valores, abandonado, al menos en apariencia,
por el autor-guía, y que, en otras posibilidades, existe
otro tipo de visión de lo que pasa en el libro,
infinitamente mediado por la visceralidad humana,
por los sentimientos y lo irracional.

Pero la propuesta significa que todas ellas son
igualmente lícitas: mejor, que no se considera pertinente la licitud, la *corrección;* finalmente, la *verdad*
de una lectura u otra: como en el mundo, todas ellas
son posibles, no hay elementos que obliguen una
manera de verlo, y la verdad se presenta, finalmente,
como una *convención*, más que como una *adecuación*
de lo pensado y lo real. Más que nada, por la
imposibilidad final de confrontarlas.

Como se ve, la experiencia está preñada de
escepticismo, óntico y sobre todo lógico. En la *obra
abierta* —en TTT—, la sucesión de las cosas y las
conductas, de las palabras y los textos materiales,
obedece a oscuras reglas, se interfiere en el juego de lo
casual, y se marca, azar tras azar, de modo ya inde-

leble. El tiempo mismo pierde su linealidad ante el imperio del espacio, de la carne y de la calle, y no sabemos bien cómo hechos ocurridos más tarde pueden interferirse en otros que pasaron antes, o explicarlos, que es una manera de interferir. La lógica propuesta para la comprensión del texto, por el mismo ocurrir de sus palabras, combate directamente la dinámica *causa-efecto* con que nuestra cultura se suele explicar el mundo. Y no sólo multiplicando causas o instituyendo el reino de lo imprevisto —que también—: es que, más allá de cualquier dialéctica, causas y efectos lo son en ambos sentidos y al mismo tiempo. Algo puede ser, a la vez, causa y efecto de lo otro. Cae por su base el principio de identidad, esa regla sin la que cotidianamente nos volveríamos locos, que dice que *A es A, y no puede ser No A, en el mismo sentido y al mismo tiempo.* Aquí sí.

Inmediatamente, lo que se establece en el reino de la comprensión, del conocimiento, pasa al de la realidad, apoyado en esa conciencia, cuyas fisuras también llamamos locura, y que nos permite pensar *que lo que pensamos, es.* Esto es, la confusión diaria, cotidiana, entre los órdenes ónticos y lógicos, la misma que permitía a San Anselmo asegurar la existencia de Dios por nuestra capacidad de invención. Y si el argumento teológico nos hace sonreír, la vacilación de la realidad, la presencia de la irrealidad que se descubre en su contestación —el que yo pueda pensar algo, no quiere decir que existe: puedo pensar algo que no existe, o que no existe *así*—, es decir, la radical separación de pensamiento y realidad, puede resultar desesperante.

De la desesperanza trata toda la obra de Cabrera: por estas oscuras vías, el autor la suplanta y la

elimina, el texto recobra la independencia de la
palabra original, deslindada de la ocurrencia e incluso
de la interpretación, de las lecturas mismas que poda-
mos hacer sobre texto —o sobre realidad— y nos
impone su presencia soberana, autónoma, solitaria.
Todo es tiniebla en torno, y caos. Hasta dentro de sí
mismo, el libro, abierto, se vuelve espiral inagotable
de sentido: llegado al final, el texto, como la Biblia, se
propondría ser el sustituto perfecto del mundo, la
verdad imperecedera en tanto que autocontenida y
hermética en sí misma, en el Libro. Y desaparecida,
obviamente, cualquier teología, voluntaria o no, el
libro sería, al final, la razón última de la existencia
total, universal. Borraría todos los libros, todas las
palabras, en su soledad, y borraría los lectores,
innecesarios para *la existencia* misma, independiente,
del libro, y borraría al propio autor, al propio Dios
revelante, que, al final, sólo puede existir para el
dictado, caótico y terrible, del libro. No hay paraísos.

No hace falta, pues, decir que la lectura que en este
texto se propone de Guillermo Cabrera es sólo una
—o varias— de la que el libro (los libros) propone.
Hay que decir, también, que de algún modo, y como
un dios amable, el autor —sujeto finalmente al paso
lógico del tiempo, del espacio, de los amores y las
cosas— deja en su fabulación algunas pistas de
lectura, o, al menos, que el lector, acostumbrado al
mundo, puede seleccionar entre los hechos, personas,
palabras narradas, algunas que le permiten poner co-
tos y orden, su orden. Pero no nos engañemos: el
texto es, antes que otra cosa, lo dado, lo ocurrido.
También es inocente pensar que el autor *contiene*

en sí mismo (como Dios) todas las lecturas de su criatura. Que las posee. La separación impuesta por el hecho mismo de la escritura llega hasta él, le abruma y le separa del texto más aún que al lector que tropieza con su carne. Yo he visto la lectura sorprendida de Cabrera —y todo escritor sabe esto bien— ante interpretaciones, comprensiones o lecturas críticas de sus libros: de alguna manera, a la fabulación original se une el autor con una suerte de cordón umbilical distinto de otros, y que, finalmente, lleno de existencia el libro, comienza a andar por su cuenta, como los hijos, y a crecer.

Ciertamente, esto no ocurre con todos los libros. Pero tampoco pasa sólo en éste, ni en este tiempo.

Dos *ideas* vertebran, pues, esta lectura rápida de la obra de Cabrera Infante: las dos permiten poner en conexión el total de su obra y biografía. La primera, esa relación contradictoria y creadora, entre la crónica y la fabulación, que, con victorias parciales o derrotas estratégicas, va constituyendo un eje de escritura. La otra, la creencia de que lo suyo es literatura abierta, es decir, plurisensa y subversiva, encontrada con los órdenes de la lógica y de la misma existencia, en la gestación de cuya poética —desigualmente manifestada pero hasta ahora no negada— es posible descubrir la génesis, la eclosión y una suerte de postparto, que, sólo leyendo como si de un único libro se tratara el total de lo aparecido, cobra sentido. De alguna manera, la obra de Cabrera *pide* que se aplique a la totalidad esa *nueva lógica* que él propone: así pues, lo contenido en *Exorcismos de Esti(l)o,* por ejemplo, es, *ya,* causa y efecto, seguramente, de lo

leído en *Así en la paz como en la guerra,* y esto entra
en relación profunda con TTT, *O,* o *Un oficio del
Siglo XX.* Otras relaciones inter-obras son aún más
evidentes.

Por supuesto, nada de lo dicho, que finalmente se
refiere a palabras, es posible sin un particular uso del
lenguaje, al que Cabrera Infante da existencia por sí
mismo, con el que juega, consecuentemente, desde la
opacidad del *calembour* y el *nonsense* hasta la
transparencia de la narración aparentemente al
servicio de los hechos y las cosas. Siempre, una
curiosa *ironía,* en el sentido más griego, nos pondrá
otra vez sobre aviso: incluso cuando la palabra juega
a espejo de lo real, miente.

Cuando apareció *Tres Tristes Tigres,* tras la prohi-
bición de la censura española, y la supresión por el
autor de textos que más tarde serían rehechos bajo el
engañoso título original, *Vista del amanecer en el
Trópico,* su autor anticipó que no se trata de una *novela* y la calificó de *colección de relatos,* unificados
por la primera persona narrativa, y que recogen un
momento concreto de la vida habanera. En las
mismas declaraciones, en entrevista con Corrales
Egea aparecida en la revista *Insula,* añadía que le inte-
resaba especialmente el lenguaje, y ya en la advertencia que abre la que nos obstinamos en llamar
novela, declara: *"El libro está escrito en cubano, es
decir, en los diferentes dialectos del español que se
hablan en Cuba, y la escritura no es más que un
intento de atrapar la voz humana al vuelo, como
aquel que dice".* Añade, tomando la frase de Mark
Twain: *"Hago estas explicaciones por la simple razón*

*de que sin ellas muchos lectores supondrían que todos
los personajes tratan de hablar igual, sin conseguirlo".*

Cazar la voz humana, de la única manera posible:
aquí es el cronista, atento a las diferencias, a los mati-
ces, a esos acentos y signos que se borran de un plu-
mazo en la comprensión normal —salvo la extrañe-
za—, y, sobre todo, bajo el uniforme de la escritura:
los lingüistas, para hablar de ese don terrible que es
lenguaje articulado, para hacer entender el modo de
comprensión que sintetiza las diferencias y las elimina
de la razón, a veces, seleccionando otras sin aparente
motivo para ello, como no sea un adiestramiento co-
lectivo que disminuye, al fin, la capacidad perceptiva
de lo que ocurre en la realidad, los lingüistas digo, hablan de *sonidos alófonos:* los hablantes, puestos de
acuerdo por esa undécima naturaleza de que habla
Humboldt, prescinden —curiosamente, por analogía— de todas las diferencias individuales en la pro-
nunciación de los sonidos, y de muchas diferencias
que son, ya, colectivas. De tal modo que no las captan
conscientemente, y de preguntarles, sospecharían en-
gaño o superchería: damos por supuesto que todos
hablamos igual. *O lo mismo.* Este acuerdo lo rompe
Cabrera, como lo rompen diariamente los sensibles
aparatos en que los lingüistas pueden ver dibujado el
modelo de esta diferencia. Y su ruptura crea una tensión durísima, en el interior del libro, porque al fin estamos en ese manojo de hojas de papel manchado en
tinta, y los signos que en él vemos, tan convencionales
al fin como nuestra selección de fonemas o infinitamente más, a duras penas transmite, hasta el final,
esos movimientos de voz. Por eso Cabrera, consciente,

dijo: *"La reconstrucción no fue fácil, y algunas páginas se deben oír mejor que se leen, y no sería mala idea leerlas en voz alta"*.

Esta tensión, que en la obra de Cabrera es *estructural,* es tal vez la mejor muestra de la primera contradicción entre el cronista y el fabulador: enlatar la palabra, conservando viva la facultad de ser dicha, y recordando final y metafóricamente la manera en que se dice el sonido original, se convierte en trabajo propiamente escritural, que ya está al servicio de la ruptura lógica entre la realidad (en este caso, el lenguaje vivo, y sus diferentes hablas e idiolectos individuales) y su representación lógica habitual (en este caso, la escritura convencional, la tiranía ortográfica). De alguna manera, el libro es consciente de su carácter mediato, de la pantalla que la escritura pone entre el lector y la referencia, y no sólo la referencia cosa, o hecho, sino ese carácter de *lenguaje secundario* de la escritura fonológica, sustentada sobre la débil, sistemática cadena de los sonidos. Para entendernos, este juego sería imposible en chino, o en cualquier otra escritura ideográfica.

El sonido, la parte más material del lenguaje —el plano que los lingüistas llaman *del significante*— se pone en cuestión también, y desde la misma presentación del libro, por el otro lado, es decir, desde el significado. La afición monstruosa de Cabrera Infante por el *juego de palabras,* por el *pun, calembour y nonsense,* ensayados con dificultad y maestría en castellano, tras la visible herencia anglosajona de Lear, Lewis Carroll y desde luego Joyce, avanza un paso más en el mismo sentido, en el de la ruptura de la lógica usual y la conquista de la independencia del libro sobre la dictadura de lo real y del lenguaje que lo constituye.

Construidos sobre la fusión de significantes diversos, que evocan y traen significados confusos —muchas veces escondidos en el tabú social, por su contenido escatológico, sexual o simplemente de *mala palabra,* que es lo mismo—, sus juegos de palabras ponen en crisis la significación usual de los vocablos, que quedan contaminados, preñados, por esos sonidos parejos a veces casi idénticos, dando de nacer nuevos confusos sentidos. El cambio de un mínimo sonido cortocircuita la significación, que se agolpa y tiende a salir, hijo espúreo de dos o más conceptos, de un modo visceral, irracional. A la hora del análisis, y más allá (o más acá) del humor que conlleva, parece claro que la fragilidad del elemento conceptual del lenguaje, que es como decir, de la mediación racional entre el hombre y la realidad, queda desenmascarado en su dependencia total, terrible, de esa otra fragilidad tanto tiempo despreciada por los gramáticos, y que es la voz, el sonido. Al final, la crisis llega hasta la noción misma de *significar.* (Es curioso cómo en las célebres *Memorias de una cantante alemana,* atribuidas a Wilhelmine Schroeder-Devrient, y en otros textos libertinos de la época, desde Sade, aparece *crisis* por *orgasmo.*)

Si el interés por el lenguaje, y el producto particular que Cabrera consigue con esta materia, y que desde luego no hemos hecho sino tocar de refilón, lleva ya al centro mismo de las contradicciones que, en mi lectura, vertebran su obra, otro tanto hace ese repudio ambiguo del género novela, prefiriendo ese otro, que a nada obliga: *colección de relatos.* Lo cierto es que en el entramado complejísimo de *Tres Tristes Tigres* el lector no encontrará una, sino varias historias, y no un narrador, sino muchos, no por tanto una perspectiva única sino múltiple. Y sentirá que, pese a que cada corte de imprenta, cada fragmento, capítulo, texto, tiene una clara independencia y puede leerse con unidad en solitario, incluso cerrar su significado y su historia en el interior mismo de sus palabras, lo cierto es que se siente también que hay establecidas demasiadas complicidades, demasiados guiños y relaciones entre unos y otros como para separarlos. No sólo unifican los lenguajes distintos pero al fin, con idéntica intención demoledora, ni siquiera el hecho terrible de que cada texto aparezca como *voluntariamente narrado* por esa primera persona que son muchos personajes, y que al fin convierte en mera palabra lo que ocurre en el libro. Ni bastaría la noche habanera, ni la presencia de Batista en el poder —que se soslaya como se soslayan las dictaduras en la vida cotidiana, pero que está presente todo el tiempo, como lo están siempre las dictaduras—, ni el erotismo que amalgama todo, ni el que los personajes son recurrentes, hablan unos de otros, se conocen y pululan siempre cercanos por la novela. Ni la presencia omnipresente de la insularidad. Lo que hace un género es la estructura en que todo esto se relaciona, y aquí, en *Tres Tristes Tigres,* hay una estructura novelesca, y más novelesca en tanto más compleja.

Bastaría volver atrás, a los dos libros que más atrás pensé como prehistoria y protonovela: *Un oficio del Siglo XX* y *Así en la paz como en la guerra.* En los dos, por distintos medios, se prefigura ya lo que será TTT, de modo que entrarán a formar parte de este mismo cuerpo. A veces, expresamente.

Un oficio del Siglo XX es una colección de críticas de cine, aparecidas en su mayoría en la revista cubana *Carteles* y firmadas entonces con el seudónimo *G. Caín.* La edición que yo conozco es muy posterior, española, y se debe a Seix-Barral: en ella se han distinguido unas páginas de color —azul, rosa, amarillo—, en las que, oblicuamente, se cuenta la historia de la reunión, selección y espurgue de esas crónicas antes de ser convertidas en libro. Firma esas páginas Cabrera Infante mismo, y aprovecha para doblar la ficción de su sosias, de su alias, y darle carácter de personaje y existencia: cualquier lector no avisado podría creer que se trata del estudio de un crítico distinto, esta vez amigo, que prepara la antología de los artículos de Caín. De manera que la discusión entre autor y antólogo, esa especie de bestia bifronte y contradictoria —el creador, el crítico, o el fabulador y el cronista—, se ha vuelto aquí sombra y fábula que araña al mismo autor real —a Guillermo Verdadero— y a sus críticas cinematográficas que de verdad fueron leídas una a una en las páginas fugaces de la revista cubana, en el contenido de un hermoso libro de ficción, o en los personajes —ficticios— de una narración más del escritor. Hay que añadir la presencia constante, como ilustración, de esa figurilla del espadachín sin cabeza que es una imagen clara, esplendorosa, de ese cúmulo de sentimientos, y que Guillermo Cabrera describe así: *"Tenía* (Caín) *sobre su escritorio una estatuilla de calamina a la que faltaba la cabeza: era un esgrimista y esto hacía del accidente una ocasión metafísica. El esgrimista llevaba finos borceguíes, pantalón ajustado y liso, que caía, sin embargo, en graciosos pliegues; la camisola es abierta, de botones de fantasía, con cuello alto: aquí termina su elegancia sartorial, pues el pequeño héroe ha perdido completamente la cabeza que debió ser hermosa, de cabellos rizosos, patilla mediana y bigotes en guía. Pero si elegante era la figura, más elegante fue su apostura: tiene un pie tendido adelante y el otro listo a la maniobra; una de sus manos empuña correcta la espada (porque es una espada, no un florete ni un sable) tras la guarnición, mientras la otra mano sostiene casi la punta del acero con displicencia y su dedo meñique se yergue por sobre la filosa hoja. Toda la figura es símbolo de lo mejor de su tiempo, de su deporte. Pero el otro esgrimista, contendiente mañoso, ha tronchado de un golpe (el primero y el último) la cabeza feliz de nuestro campeón de calamina".*

"Es como si se descubriera —me dijo— que la Venus de Milo tejía unas boticas de niño."

De algún modo, esta figurilla *imaginaria* es la ilustración final del encuentro entre esas dos caras de Jano del escritor en el libro. Caín parece bello pero muerto. Y la presencia encabezando crónicas diarias del dibujo del esgrimista nos recuerda permanentemente esa ficción azul, rosa, amarilla en que cada crónica se ve inserta. Hay, además, una nota que precede a esas crónicas de G. Caín, escrita por Cabrera Infante: en ella se corrige, anota, sitúa, contradice, contesta, ataca la crítica escrita antes que leeremos después: es Guillermo Cabrera Infante cortando la cabeza de G. Caín, el espadachín imaginario.

Entre la nota previa y la figurilla se consigue algo difícil: meter las críticas en el tiempo de una historia, hacerlas parte de una experiencia —de un pasado— y convertirlas en material de ficción. Historia, ficción y tiempos dobles: el de la escritura primera, el de la reflexión segunda, el de la fabricación del libro. Lo que era periodismo, esas crónicas de veinte líneas que firma con seudónimo asesino, pasan a ser literatura, a sentirse como un todo continuo, casi como una novela extrañamente construida gracias a la ficción entera en que se ven envueltas. Y a la ironía. Los personajes, por su parte, *"aunque basados en personas reales, aparecen como seres de ficción"*: lo advierte a la entrada de *Tres Tristes Tigres*. Y la muerte de *G. Caín* narrada por su asesino y sin embargo amigo, Guillermo Cabrera Infante, en el interior del libro que recoge su *opera omnia,* va a ser doble: como personaje y como seudónimo, que no volverá a usar, al menos que se sepa.

Otra cosa: la estatuilla: como en los cuentos mitológicos hindúes, sospecho que la imaginaria estatuilla descabezada que debía descansar sobre la desordenada mesa de *G. Caín,* de la que un dibujo a pluma ha sido trasladado a *encabezar* cada crítica del libro —pues presidió tanto tiempo el trabajo del desaparecido crítico, como sabemos un mero nombre—, sospecho, si la literatura no me engaña, haberla visto en esa habitación empapelada color tigre (o tres) en que trabaja cada día, en su casa inglesa, Guillermo Cabrera Infante, y que ellos llaman *su estudio.* Con más precisión recuerdo así mismo otra figura, esta vez con cabeza, y a la que tal vez volvamos, que representa una mujer desnuda, excepto medias y zapatos, en una actitud displicente e inocente, absolutamente *art nouveau.*

Si con humor y esa especial fabulación narcisista consigue Cabrera construir algo muy próximo a la novela con una serie de crónicas de cine —de hecho, humor y cine van a ser elementos fundamentales de su novela TTT, así como la muerte simbólica y contada como real y los demás elementos que se perfilaron antes—, cuanto más hará con una colección de relatos de estricta fabulación: me refiero a *Así en la paz como en la guerra*. Catorce relatos y quince *viñetas* constituyen este libro, que tiene también vocación de novela, precisamente gracias a su arquitectura, a la manera especialísima en que se ordenan los materiales que lo integran.

Los relatos —publicamos *Abril es el mes más cruel* por voluntad de su autor, y *La mosca en el vaso de leche,* por la del ontólogo— recogen situaciones distintas, momentos, obsesiones cotidianas de la vida habanera, o mejor, cubana. Fueron escritos entre 1950 y 1960, cada cual independiente de los otros no sólo en los temas sino en el lenguaje. En ellos —y en otros muchos, algunos repudiados por su *padre,* otros ni siquiera publicados nunca— fue ensayando Cabrera Infante el filo de su escritura. Hay veces en que su técnica, que luego empleará con magistral ejemplaridad —la selección lingüística, el monólogo interior, o la descripción perfectamente perspectivada—, aparece ya con brillantez, madura. Hay en los cuentos esa fascinación y redondez que debe haber en los buenos cuentos, y también esa unidad temporal, especial, esa rotundidad. Lo extraordinario se infiltra en lo cotidiano, y muchas veces entran en los relatos hermosísimas imágenes, al tiempo que se perfilan valientemente esos rasgos lingüísticos, esa valentía investigadora que hará de Cabrera Infante un escritor en la vanguardia del castellano literario. O del cubano.

Aunque en los temas seleccionados en la realidad

cubana se siente la preocupación de Cabrera Infante
por la situación social y política, más aún por la desgracia humana que produce la falta de libertad en la
vida cotidiana de los hombres, el lenguaje pone una
cortina perfecta y opaca entre el relato y lo real exterior, de manera que éste, en su rotundez, se presenta
ya listo a ejercer una fascinación diferente sobre el
lector. A esperarle agazapado tras la palabra, a sentirse, el cuento, independiente de lo narrado, aunque
esto entre —como todos los buenos cuentos— por
vías directas, intuitivas o visuales más que por otras
cualesquiera. En los relatos, la lengua es voluntariamente literaria, muchas veces oscura y barroca,
muchas veces sirviéndose a sí misma.

Las viñetas, en cambio, tienen un carácter distinto.
Fueron escritas prácticamente de un golpe, a primeros
de 1958, las diez que iniciaron esta serie contra la represión. Sobre su origen dice Cabrera en el prólogo:
*"Sólo sé que acababan de matar a aquella muchacha
en la carretera, en la noche. El estúpido, monstruoso
crimen, provocó mi ira, resuelta en diez viñetas que de
una manera u otra describían la náusea de vivir
bajo la Tiranía"*. Entonces no fueron publicadas, y
después de la revolución aparecieron en *Carteles,*
siendo más tarde reproducidas con tres más en el
magazine Lunes de Revolución. Las dos que completan estas quince del libro fueron escritas expresamente
para él, exigidas por su estructura.

Las viñetas relatan una escena. El nombre está tomado del *comic,* y sabido es que dos elementos componen este género, o dos lenguajes unidos en otro,
complejo: dibujo y palabra, que se autointerfieren
mediante un código de señaladores, de indicios que
marcan las relaciones. La viñeta es la unidad mínima

con sentido completo en el lenguaje del *comic,* y forma parte de su capacidad significadora la necesidad de unirse a otras en una cadena significativa. Aunque cada viñeta tiene significación propia, todas ellas están enlazadas, mediante una *sintaxis* propia, en *frases* que a veces son *tiras* y otras no. Esta relación con otras viñetas dará a cada una de ellas su significado más completo: en el *comic,* les conferirá movimiento, aunque existen señales para sugerirlo en el dibujo, y grafismos semantizados que lo indiquen. Lo cierto es que el transcurrir de la historia se consigue en el *comic* —y más aún en el *cómix*— gracias a la sucesión de distintas viñetas, cada una de las cuales se puede leer como un presente, y como tal, quieto.

Pues bien: esto pasa con las viñetas de Cabrera Infante. Cada una de ellas *describe,* con un lenguaje voluntariamente transparente, infinitamente empeñado en *visualizar* una escena, un *instante precipicio,* un momento dramático y terrible, reincidiendo en la lucidez momentánea inmediatamente anterior a la muerte estúpida o a la tortura insoportable, pero voluntariamente conciso el lenguaje, de modo que el hecho de la escritura parece desaparecer para dejar toda nuestra atención sobre el referente, sobre la historia contada. Por otro lado, a los que están viviendo esos momentos cubanos, no les cuesta reconocer, tras estos momentos dramáticos, nombres, caras, muertes, cercanas y conocidas. Entre las quince viñetas se cuenta una historia hecha de muchas historias: la de la represión de Batista. La del sufrimiento perpetrado por éste al pueblo cubano diariamente. La de las causas de la revolución.

Ahora bien, empezando y terminando con una de estas viñetas, que se van a llamar simplemente con números sucesivos, en *Así en la paz como en la guerra* se publican relatos y viñetas intercalados. La lectura entonces se complica, porque lo que eran relatos bien distintos, a todos los niveles —desde los temas a la técnica narrativa—, se ven contaminados por sus vecinos que les están sitiando en el significado. De esta manera, al terminar el libro se tiene la impresión de haber leído un todo cerrado: los cuentos representan, de algún modo, las tragedias cotidianas, inconscientes, la pobreza, el desprecio, la amargura, la condición humana. Y las viñetas, en un contrapunto unificador —que más tarde utilizará en *Vista del amanecer en el Trópico* y conservará sólo parcialmente en *Tres Tristes Tigres*— que refiere todo ese cúmulo de horrores a la opresión, a la represión fascista de Batista, y, unos con otros, hacen sentir el problema como llegando hasta esferas infinitamente más íntimas que la política, pero al tiempo tan brutales como las comisarías de policía.

Además hay la impresión de que, en esta colección de cuentos, se ha leído en realidad una *novela:* una novela que nos cuenta Cuba y Batista, aunque no cuente una sola historia, una sola vida, una sola muerte. O tal vez, finalmente, sí. Hay ya, en los componentes de esta historia, muchos de los que van a ser definitorios en el epicentro de la obra de Cabrera Infante, en TTT. Y están muy perfilados los rasgos que van a constituir su cuerpo estético: la selección de momentos en lo cotidiano, y ese conferirles existencia que Eco llama *epifanía,* la fuerte perspectiva de cualquier relato, el intento de construcción de la estructura total, de la obra total substitutoria del mundo, aunque sólo sea, como en este caso, para exorcizarlo, maldecirlo, y cantar su fin. Así mismo, y no menos

importante, esa tensión de géneros que se trans-
cienden y que habíamos visto ya en la definición
de TTT como *colección de relatos* y en *Un oficio del
Siglo XX*. Y también esa contradicción, que en mi lectura es estructural en la obra de Cabrera entre el fabulador y el cronista. O aquí, entre los relatos y las viñetas. La marca diferencial de este libro está, tal vez, en
su significado voluntariamente revolucionario, a nivel
estrictamente político: el sentido buscado por el autor
y expreso en el prólogo está, precisamente, en la
condena, exorcismo y maldición de la dictadura en toda su extensión.

Cabrera Infante ha dicho alguna vez, medio en
broma, que la censura española le hizo un favor
prohibiendo *Vista del amanecer en el Trópico* cuando
fue premiada, en 1974, con el Biblioteca Breve. Porque, un año después, en el avión que le traía por
última vez de Cuba al exilio, la novela ya era *Tres
Tristes Tigres,* y el cambio, según él, era a mejor.
Ahora, sin embargo, se puede hacer un juego
imaginario: leer juntos TTT y el titulado años más
tarde *Vista...* El resultado es curioso: con infinitamente
más complejidad, ganada por TTT con los añadidos
que Cabrera le hizo al sacar de su contexto lo publicado después como *Vista...,* e incluso me atrevería a
decir, por la supresión de ésta, el libro se parecía
mucho al anterior: Una serie de relatos, que esta vez
iban en primera persona siempre, se ponían en contraste con unas viñetas tan transparentes como las de
Así en la paz..., sólo que éstas abarcaban algún tema
más que la represión, y en cambio, eran seguramente
mucho más *visuales* que el resto del texto, que, aun

sin contar la parte de él llamada *Ella cantaba boleros,* está concebido como infinitamente musical. En aquella primera redacción, la noche cubana, desprovista seguramente de alguno de los mitos levantados en la nueva redacción, y los habitantes de la noche, entraban en contacto con esos relatos de violencia, a veces de heroísmo, que eran como la cara del día cubano, de la revolución triunfante. La palabra viva se enfrentaba al lenguaje transparente, a la lengua quieta, y finalmente, la visión del libro era seguramente mucho más lineal, tal vez hasta maniquea. Una historia de buenos y malos, donde los malos eran los bohemios con los que Caín tuvo siempre su corazón, y los buenos, los guerrilleros de la Sierra Maestra, con los que también; o tal vez no, y eran todos buenos, la alianza del trabajo y de la cultura, de la guerrilla campesina, la urbana, y los artistas, que, al fin, en esa nocturnidad pacífica y frustrada, a veces, alguno, sueña con enrolarse en la guerrilla, y, todos ellos, tienen esa pinta inofensiva del buen demócrata.

El caso es que se intercaló una historia completa, o tal vez varias, y se dejó, para contraste radicalmente distinto del previsto, una serie de viñetas, también numeradas por números de orden, de *primero* a *oncena,* y en las que se cuentan, en lenguaje dejado al abandono casi automático del sillón del analista, la confesión de una alienada que somete todo el texto a un problema de pérdida de la identidad.

En cuanto a *Vista del amanecer en el Trópico,* el cambio sufrido por las *viñetas* al quedar aisladas de los textos que las sustentaban, y si añadimos el contenido que el propio Cabrera prefirió, marcaron perfectamente el cambio ideológico y vital de su autor. La historia se manifestó a Cabrera como circular y recurrente, la historia que se centraba en la Isla de Cuba y en el gran tema terrible: la violencia bajo cualquier orden, desde las míticas tribus aborígenes, hasta los días de Fidel Castro. La Violencia como condición humana, contra la que el hombre, oprimido, trata de enfrentarse no menos violentamente, para morderse la cola en nuevos órdenes igualmente opresivos y violentos hasta la pesadilla. Un pesimismo que contamina toda su visión del mundo, entendido como eterno retorno de la desgracia, permitía que estos momentos especialmente *parados* en la descripción de una escena, que muchas veces es un grabado o una fotografía, o que al menos siempre se plantea como *foto fija,* como presente perfecto, ofrecieran, en su transparencia, la visión plástica, afectiva, de su recurrencia. Precisamente la parte más directamente política del libro, la que lo debía convertir en un retrato de la Cuba prerrevolucionaria, dispuesto (el retrato) a ser un golpe definitivo contra el orden expulsado, y en una voz de esperanza por el nuevo, se vuelve grito desesperado, definitivo. Silencio. En esta segunda redacción de *Vista...* se habla de la inutilidad de la revolución: es decir, de la maldad esencial del hombre, de la maldición de la historia y de la inevitabilidad de la opresión.

Y ya, *Tres Tristes Tigres:* Aquí, la contradicción entre fabulación y crónica alcanza la mayor tensión, porque una y otra se levantan altas hasta confundirse. En un libro regido por la *ambigüedad* como criterio literario, por la *apertura* como propuesta de lectura, es también voluntaria y expresa la voluntad de *retrato,* de magnetófono, que ha guiado la mano escribidora.

Y esto, dejando de lado cualquier asomo de técnica o
de ilusión *realista:* Cabrera deja dicho, expresamente,
que en literatura sólo hay literatura, es decir, palabra,
y que la realidad siempre es "realidad", con comillas,
cuando entra en lo literario. Gana pues la fabulación.
Y el resto entra en el juego de la fábula. De la
escritura.

Tres Tristes Tigres es una novela, y una novela
abierta; es decir, construida sobre múltiples planos, y
exigiendo o permitiendo lecturas también múltiples.
Si Cabrera se permitía llamarla *colección de relatos,*
es únicamente para atraer nuestra atención sobre la
no existencia de una sola historia, la no sujeción a casi
ningún tipo de unidad lineal, el juego que se va a establecer algo más en profundidad. En otros niveles.

En primer lugar, hay en TTT un juego de *perspecti-*
vas diversas. El autor se esconde detrás de varios personajes, que narran, con su peculiar visión del
mundo, las historias que suceden en la novela, que
son varias. Eso, por supuesto, no le evita (al autor) *sa-*
lir en la novela, como un personaje (secundario) más,
y así lo hace. Pero ahí están los personajes narradores
y su historia contada en primera persona.

De los personajes interesa sobre todo cómo se relacionan unos con otros: y curiosamente, lo hacen *ha-*
blando. Hablan, constantemente, hasta para contar la
propia novela —en la que cuentan, fundamentalmente, *lo que han dicho*—. Por la palabra, erigida desde
estas primeras instancias en objeto supremo del libro,
muere la realidad, y hasta el propio lenguaje, que cae
en el sinsentido divertido de la palabra-tenis. Y muere
la novela-género, y *Tres Tristes Tigres* se cuestiona, se
mata a sí misma. Porque ya de momento, las distintas perspectivas en primera persona retiran credibili-

dad a la historia, ponen en duda la fiabilidad del conocimiento ofrecido por la novela, y su existencia misma.

Por supuesto, no sólo hay pluriperspectivismo para complicar la estructura de esta novela original: hay una factura de libro que instala sus partes en una red confusa. Primero, el libro está partido en *libros* misteriosamente regidos por los números, y cuya división no parece casual. Luego, existen cortes horizontales, cruzados en estas mismas divisiones, que también son temáticos. Por último, hay grupos de problemas resueltos en el libro, o al menos, propuestos como tales, y que nos podrían dar diversas lecturas de TTT, y hay también un juego de referencias mitológicas, con al menos dos cabezas visibles —y muertas: descabezadas, tanto, al menos, como la estatuilla que presidía el *Oficio del siglo XX*—. Hay los mitos de las dos grandes preocupaciones que rigen la novela y la obra total de Cabrera: la Isla, Cuba, y el Lenguaje. Y se mitifican voluntariamente en dos personajes acabados, como si después de aquí Cabrera quedara en el exilio y en el silencio: *La Estrella,* que es un mito de Cuba, y *Bustrófedon,* que es la mitificación del lenguaje. Y hay muchas más cosas: hay que se puede leer esto como una novela del aprendizaje, es decir, de la corrupción de los hombres por los otros hombres, o de la frustración elemental. Hay que se la puede leer como novela amorosa, con toda la ocultación del tema, toda la boscosidad erótica que tapa esas dos historias casi trágicas, ingenuamente amorosas, como de novela rosa. Hay el humor, constante, salvador y maléfico que permite reír a ratos y pensar sonriendo. Hay las constantes referencias al mundo cultural en que se inscribe la novela, entendiendo cultura en sus dos sentidos: el de patrones de conducta, y el de palabras y nombres que aquí son perversamente tratados, apropiados, para cargar de referencias el libro: desde la parodia de varios escritores cubanos, a la maléfica traducción-traición, pasando por nombres que remiten oscuramente a paternidades ocultas... y que, en cualquier caso, dirigen a una posible lectura cuyas claves de inteligibilidad están, *también,* fuera del libro. En el espacio ocupado por TTT entre todos los libros (y películas) del mundo apropiado, y en lo que todos estos hechos culturales han ido revelando.

En suma, el libro quiere una lectura múltiple. Y no es la menos pertinente la que hace de la vida Arsenio Cué, uno de sus personajes, y que se rige en la cábala: al final, la cábala concibe el Libro como objeto definitivo, terminado, que debe ser estudiado hasta el final, hasta las heces de la palabra, en referencia al mundo o mundos. Por eso, el análisis rápido y por separado de cada uno de los aspectos señalados más arriba, será aproximación a uno cualquiera de sus sentidos. Sólo hay que añadir que de las lecturas que permite TTT, yo prefiero dos: una, de adelante a atrás, y otra, de atrás a adelante; ésta segunda es mucho más completa, porque cosas que pasan después explican lo que parece ocurrir al principio. Y no piense el lector que es estéril o mero juego: así de sencillo es acabar con una lógica de siglos. No hay que decir que el tiempo perece víctima de este juego, de esta negación de Kant y sus *a prioris*. El espacio, en cambio, se instaura contra la línea de existencia del lenguaje y en favor de la del cine. Y como la palabra hablada al vuelo era un objetivo, ustedes sentirán la tensión.

Los personajes de TTT están en función de uno de los aspectos unificadores de la novela: la noche habanera. De ellos dice Cabrera: *"Aunque basados en personas reales, aparecen como seres de ficción. Los nombres propios deben ser considerados como seudónimos. Los hechos están, a veces, tomados de la realidad, pero están resueltos finalmente como imaginarios"*, y también, remedando los libros y las películas de escándalo, que son las que han popularizado la fórmula: *"Cualquier semejanza entre la literatura y la historia es accidental"*. Y es cierto que los cubanos, los enteradillos, sabrán leer tras los nombres otros, tras los espejuelos negros, tras la pose, los orígenes y las palabras, gente concreta, viva, evidente. Pero eso no importa.

Lo que sí importa es la primera mezcla de realidad y ficción, la primera entrada del reino de la ambigüedad y la vacilación desde el mundo mismo de los personajes.

Tampoco son todos iguales. Si no hay protagonistas, en el sentido clásico de la palabra, si hay... clases. Cuatro personajes fundamentales —Códac, Silvestre, Arsenio Cué y Eribó— prestarán su punto de vista a la mayor parte de la historia o historias narradas. Son los personajes dotados de palabra, los cuatro tristes, mansos, nocturnos tigres de La Habana. Alrededor de ellos, una galería de segundos personajes, hombres y mujeres, que, sin poder usar de la perspectiva —salvo en la presentación llamada *Los debutantes*—, intervienen en el destino, los destinos, que aquí se cuentan. Hay unas apariciones literarias, de las que las más importantes son la de Trotski y la de Campbell —y ambas dos están relacionadas con la muerte y la traición, y finalmente, la traducción y la parodia—, y dos grandes personajes-mito: La Estrella y Bustrófedon, capaces de cargar, por separado y por junto, de dos nuevas lecturas al total del libro.

Hay por fin esos personajes-no-personajes que son La Habana, La Noche, el Sexo y el Lenguaje, que lo llenan todo, y todo lo contaminan. La Habana, esa ciudad nombrada mitad cariño, mitad odio, en ésta novela que podría ser una guía, con la que podría marcarse una ruta de la ciudad, a condición de que se la visitara sólo de noche. El sexo, perseguido, impalpable, obsesivo. El lenguaje por fin, verdadero objeto de la novela, verdadero protagonista si hay alguno, que se planteó como captación y crónica de la vida y se volvió fabulación de la historia, es decir literatura, para resolverse finalmente como *nonsense*.

Por supuesto, la perspectiva es estricta: incluso en los personajes con voz, esto es, los narradores, sabemos de ellos, y por ellos, qué es lo que hacen, no qué es lo que piensan, salvo escasamente. A unos y a otros, desde un punto de vista riguroso, les vemos actuar, sin que se nos inmiscuyan juicios de valor, o juicios a secas, salvo los impuestos por cada perspectiva, independiente de la cual está siempre el autor. Así pues, los personajes se nos mueven en la novela como en la vida: nadie puede entrar dentro de otro, saber su íntimo pensamiento, sus razones profundas y oscuras. Pero sobre todo, se mueven como en la literatura, porque, consciente de que en el libro el lector sólo puede encontrar palabras, se reduce, casi siempre, a la narración de las palabras.

Hay un personaje más: esa anónima enferma, contrapunto demencial de la novela, que, desde el sillón del psicoanálisis, desde su discurso desilvanado, pone a la novela en la tesitura de narrar, casi únicamente, una pérdida de identidad, que, adelantamos, contamina toda la historia; es decir, contamina a Cuba.

Una cosa quede clara: los personajes aparecen constantemente. Esta es la novela de una cuadrilla de amigos, que van y vienen, cuentan y son contados, por la compleja red estructural en que se teje el libro entero.

La estructura de TTT es muy compleja, y tiene que ver con unos leves tejidos argumentales, y también con su distribución espacial, en el texto mismo. Además de otras cosas, TTT cuenta cuatro historias principales, dos de amor y dos de muerte.

Códac —ese fotógrafo que ve la realidad *"a la distancia focal de"*— cuenta las de muerte: quizá porque la cámara fija, por el solo hecho, mata el movimiento, el tiempo, la vida. Cuenta él, pues, la aparición, lucha, triunfo y muerte de *La Estrella,* la cantante negra-negra, que en mi lectura mitifica y personifica, enfrentada a sus contramitos, la naturaleza cubana, la raza vencida, Cuba Misma. Y cuenta también la muerte, recuerdo y obras de Bustrófedon, encarnación y negación del lenguaje alrededor del cual se entreteje toda la estética *expresa* de Cabrera Infante.

Las historias de amor las cuentan Eribó, Silvestre y Arsenio Cué, tres protagonistas y narradores para dos historias triangulares y desgraciadas que unen los destinos de Eribó y Arsen —en el pasado— en torno a Vivian, y de Arsenio y Silvestre en torno a Laura. Dos hombres infelices, silenciosa y cínicamente, y el verdadero tema: la mentira. La traición.

Además, constituyendo un primer libro que conclu-

Manuscrito del primitivo *Vista del amanecer en el Trópico*
(Bruselas, 1963)

ye sólo en el último, la parte llamada *Los debutantes*
ha seleccionado los orígenes de muchos personajes, en
ese momento encrucijada en que comienza su
perversión. Una traición, o una autotraición, una
mentira, suele ser ese momento. Mentira también rige
la historia de Mr. Campbell, cierto escritor visitante y sus traducciones (traiciones), y la de la
muerte de Trotski contada (jamás) por varios escritores cubanos años después o antes.

El hecho trágico del asesinato del revolucionario a
manos de Mercader —no sería de extrañar que el
nombre mismo del asesino político español hubiera
fascinado a Cabrera Infante y a otros, con tanta con-
notación—, hecho histórico y finalmente *real,* sirve de
soporte a las siete parodias del estilo, de la palabra, de
la literatura al fin de siete escritores cubanos —Martí,
Lezama, Virgilio Piñera, Lino Novás, Carpentier y
Nicolás Guillén—: resultan haber sido grabados los
textos, y jamás escritos por Bustrófedon. En realidad
—ni siquiera en *realidad*—, los hubieran escrito ellos,
jamás nunca.

A gusto del lector la preferencia por todas, una
sola, dos o más historias, capaces de marcar para
siempre una lectura de la novela. Hay que sumar también esa historia terrible, aludida antes, de la mujer
que se confiesa de *Primera* a *Oncena* sesión transcrita.
Y más: un prólogo y un epílogo donde quizá esté el
sentido del texto: uno de ellos, o dos. Pero seguramente es mejor partir de todo porque todo está relacionado como un bosque... trabado en la inexorable
ley de los números. Es decir, del azar.

Nueve capítulos, nombrados previamente, dividen el libro. También, como cada uno de los *relatos* en que se parte el libro, pueden ser leídos con independencia de los demás —perdiendo, claro, los guiños y complicidades que el total entraña—. Son éstos, en orden sucesivo, un *Prólogo* —que efectivamente lo es: el presentador de *Tropicana* abre el espectáculo bilingüe, muy a la americana, a lo yanki, impregnado *ya* de mala traducción, de una traición compleja, misteriosa, sólo entendible al final. *Los debutantes* —la iniciación y la perspectiva lingüística en apoteosis, mientras la desgracia va marcando a todos esos personajes, emigrantes—; *Seseribó* —o el silencio, o el castigo por la palabra inútil que es toda palabra—; *La casa de los espejos* —donde la ilusión de esta figura arquetípica reduplica las identidades, los problemas y, finalmente, las desgracias—; *Los visitantes* —o las vicisitudes de una difícil estancia en La Habana del escritor Campbell, y de su terrible traducción—; *Rompecabeza* —la historia de la muerte de B; y de *La Estrella, La muerte de Trotski...*, *Algunas revelaciones* —donde efectivamente se revelan algunos secretos—, y *Bachata,* que en cubano quiere decir juerga o paseo, y que aquí quiere decir lo mismo pero con Bach. Es en este relato maestro donde en realidad se aclara todo, si es que algo se aclara, y donde, con una ternura imposible, los personajes, rotos ya por ciertos quiebros (muertes o traiciones) de la traicionera vida, se marcan una broma que va completamente en serio, una noche de borrachera y tentaciones de cobardía y velocidad y sobre todo de *Palabras*. Hay ese *Epílogo* en *cubano-cubano* asfixiado y lúcido. Hay cansancio y lucha, *agonía*. Desde fuera de cuanto ha sucedido ya en la novela de modo irremediable —como en la vida—, pero contagiándola de angustia, de tristeza y de rebelión impotente. Si nos fiamos de este epílogo, *Tres Tristes Tigres,* la condición humana para entendernos, es exactamente el infierno.

La postura autorial es clara, tal vez lo único claro de la novela, lo único *no ambiguo* —en el sentido más *técnico* de la palabra—, pero precisamente al servicio de la ambigüedad estructural de este paradigma del mundo que es el libro. El autor se mantiene fuera del texto, en esa tentación, tan de Cabrera Infante, de caer en la *ficción total,* en la fabulación perfecta del *contador de historias* que diría Fernando Savater. Cabrera ha elegido, en palabras de Umberto Eco una vez más, la forma *dramática* de contar una historia: ha puesto sus personajes en escena, les ha dejado hablar, y aunque él mismo, desde la revista *Carteles* y con su nombre, aparece en un número crucial del libro, lo hace como un personaje más. Como cuando se fabula a sí mismo, bajo las especies de seudónimo *G. Caín* en *Oficio del Siglo XX.* Con ello consigue desplazar la atención, de los hechos exteriores y narrados por ellos, al interior de los personajes a través de los cuales podemos ver la historia contada. Y Savater diría que ahí está la frontera —o una de las fronteras, que todas las atraviesa— más allá de la cual la novela deja de ser simple narración —maravillosa narración, diría él— para empezar a ser *novela.* Desde fuera, pues, nos presenta ese *objeto objetivo* que es el libro, que puesto a la venta con su nombre —otra traición— ha dejado ya de tener nada que ver con él. Tiene su vida y la irá viviendo.

Vale para él lo que decía Eco de algún otro, y que afirma el propio Cabrera en su nota *No Publicable* (pero publicada): el autor, irremediablemente, acaba por estar allí, fabricando el texto, sólo que "se hace punto de vista ajeno, se traduce en la forma objetiva". "No habla de él mismo ni se limita a hacer hablar a los personajes; hace hablar, hace expresivo el modo en que los personajes hablan y cómo se presentan". Por eso son tan importantes las hablas, los idiolectos distintos que Guillermo Cabrera, en esa tensión terrible a que nos hemos referido ya, transcribe de manera más que expresiva.

En esta obra conviven las más distintas formas del discurso narrativo. El escritor culto hace suyos los modos legados por toda la cultura occidental, desde la transcripción que se diría magnetofónica a la cuidadísima, expresamente literaria, pasando por la descripción aparentemente descuidada, la rítmica narración entrecortada o los lentos monólogos, interiores o no.

Para todo esto, Cabrera Infante está ya fascinado por la ley de los números, por la ordenación misteriosa, por la oscuridad guiada. De alguna manera, por la cábala. Se puede jugar a leer TTT como si fuera un juego matemático, una especie de crucigrama de sentidos, palabras cruzadas, o mejor, estructuras cruzadas. Y mejor aún: es que el *tablero* sobre el que trazar los números y los cruces lo ofrece el propio Cabrera Infante. Lo ideal: un personaje: Arsenio Cué. No me resisto a transcribir:

«(Arsenio cogió con gran aparato una servilleta de papel y sacó mi pluma del bolsillo. Empezó a pintar números.)

```
    4           9           2
```

(Se detuvo. Pensé que iba a sumar).

```
    4           9           2
    3           5           7
```

(Dejó de pintar números y me miró. Todos números primos, me dijo.)

```
    4           9           2
    3           5           7
    8           1           6
```

(Estabilidad para ti, me dijo sonriendo, y para mí.)

```
    4           9           2
    3           5           7
    8           1           6
```

(Miró el papel, triunfante, como si hubiera inventade este cuadro numérico.)

Ahí lo tienes, el cuadro mágico. Vale tanto como el círculo. Me miró esperando que le preguntara "por qué". ¿Por qué? Porque como quiera que sumes tendrás el número 15. Vertical, horizontal y diagonalmente da 15. Fíjate también que la suma de estos dígitos, 1 y 5 da 6, que es el mismo final, y restados el uno del otro tienes el primer número del cuadro, el 4. Como ves, falta el 0. Históricamente te puede indicar que el cuadrado es anterior a los árabes, porque antes se hacía por letras, que eran los números. Para mí, éste es el cuadrado de la vida.»

El juego consiste en sobreponer, numerando los libros de división de TTT por su orden de aparición en el libro, sobre el *cuadrado de la vida* de Arsenio Cué. Curiosamente, esas unidades temáticas juegan entre

ellas, se reducen en las operaciones propuestas por el personaje, dejan que se establezca un curioso sistema de sentidos, de relaciones, que, como siempre que se habla de números —o de *destino*—, deben demasiado al azar...
Queda así:

4. *La casa de los espejos*	9. *Bachata*	2. *Los debutantes*
3. *Seseribó*	5. *Los visitantes*	7. *La muerte de Trotski*
8. *Algunas*	1. *Prólogo*	6. *Rompecabeza*
	INFIERNO	
	Epílogo	

La propuesta es doble: primero, leer las sumas (relaciones) directamente propuestas por Arsenio Cué. Es decir, comprobar que este *cuadrado de la vida y de la novela* se carga de sentido en su orden. La segunda, leer cada capítulo según su valor numérico en la tradición cabalística, en sus equivalentes del Tarot, la adivinación y el esoterismo. El resultado —adelanto— es pasmoso y divertido.

Para empezar por el principio, vamos a comprobar las líneas horizontales, verticales y diagonales. El lector debería releer TTT (Las tres T, y sobre esto también habrá algo que decir), jugar y discutir esta lectura. Seguramente, el concurso de la magia es tal, a la hora de la escritura, y la *revelación* es tan *real* a la hora de la estructuración del libro, que él, como cada nuevo lector, encontrará nuevas relaciones; o ninguna.

4-9-2. *(La casa de los espejos, Bachata, Los debutantes)*. En la *Bachata* se cierra la historia de Arsen, de Arsenio Cué. Van a confluir:

1. La narración de su amor por Laura y el final (se van a casar Silvestre y ella: hablar de esto es el "motivo" de todo el paseo, de toda la "Bachata"), que se afirma y comienza en *La casa de los espejos*.

2. La historia de los principios de Arsen, cuando abandona el oficio de escritor por el de actor, a la puerta de la muerte, historia que comienza a ser contada en *Los debutantes* y acaba en la *Bachata*. En 4-9-2 está, pues, la historia de Arsenio Cué, personaje centralísimo de TTT, completa y acabada, junto con el tema de la vacilación de la realidad (espejos) que le es inherente al personaje.

3-5-7 *(Seseribó, Los visitantes, La muerte de Trotski referida por varios escritores cubanos años antes o después)* se articula en torno a la sucesión de los grandes temas: silencio, mentira, traición. Su situación en el cuadro nos habla de la importancia de éstos, que son el verdadero tema de la novela. En los tres *libros,* la verdad y la mentira se refieren tanto a la realidad como al lenguaje, y la traición se ocupará tanto del asesino de Trotski como del amigo traidor, como del mal traductor en esa *palabra-maletín: tradittore.*

8-1-6 *(Algunas revelaciones, Prólogo, Rompecabeza)*. La unidad de este lado del cuadrado la vemos en la solución develadora de la realidad que se da al *renglón* anterior: éste es el lado de la *realidad,* de la verdad: literatura y vida responden (revelan) la realidad como absurdo, como *nonsense* y muerte. *Es la base del cuadrado y en estos tres capítulos está el presente, el eje temporal de la novela.* Todo él está referido al lenguaje, base sobre la que se asienta la literatura, y el lenguaje mismo, hecho cuestión, puesto que se refiere a una realidad esencialmente FALSA, es traición. Para no traicionar pero desvelar su insuficiencia, el lenguaje necesario —y no precisamente impotente— será caparazón aparente, "nonsense", absurdo. Códac, el impersonal —desconocido— fotógrafo, une también los tres "libros", perspectivando (narrando) los aspectos comunes de 8 y 6 y apareciendo en el prólogo.

Los verticales:

4-3-8 *(La casa de los espejos, Seseribó, Algunas revelaciones)* habla de Bustrófedon persona: enfermo en *La casa de los espejos,* presente en *Seseribó* y muerto en *Algunas revelaciones.* El B. y La Estrella, paralelos, sufren la sucesión temática de los tres libros: en *La casa de los espejos,* la enfermedad de B. se presenta como sorprendente y extraña. Ellos (Silvestre y Códac) no se lo creen del todo. En cuanto a *La Estrella,* su presencia y ausencia adquieren en este libro carácter de irrealidad, mezclados como están planos reales y oníricos. Ambos aparecen aquí por última vez vivos. En *Seseribó,* Bustrófedon está presente y vivo y es allí donde dice y complica el trabalenguas que da título a la novela; *La Estrella,* viva, no triunfante, se siente traicionada (engañada) y se va de la fiesta vía borrachera. En *Algunas revelaciones* se nos revela la muerte de B. y de *La Estrella.*

Este *renglón* deberá ser leído (en el libro) de atrás
a adelante.

9-5-1 *(Bachata, Los visitantes, Prólogo)*. También
para leer de atrás a adelante, se cierra aquí el tema de la
traición literaria-traducción, pero no sólo. Vemos
aquí los distintos niveles de falsedad a que puede
llegar la literatura, y más la literatura traducida.

En 9, nos enteramos de que *Los visitantes* es, en
suma, un cuento y su traducción traidora para *Carteles,* por una nota dirigida a Silvestre por GCI (Guillermo Cabrera Infante), redactor jefe de *Carteles,* en
la realidad; se desvela desde la realidad-real *(la vida
real)* la mentira fundamental de la traducción, y la
nota, a su vez se pone en duda —en falso— a sí
misma, con el encabezamiento *NO PUBLICABLE.*

En 5 *(Los visitantes)* conocemos los varios niveles
de mentira: hay un montón de elementos falsos:

1. El cuento *(Historia de un bastón)* en la redacción
de Mr. Campbell se basa en un equívoco-injusticia:
la supuesta pérdida de un bastón exótico, un *souve-
nir,* el supuesto reencuentro del bastón en manos de
un negro, y el paso, por medios violentos, del bastón a
manos de su presunto dueño, Mr. Campbell. Más
tarde, él descubre que *su bastón* está también en la habitación.

Aprovecha Mr. Campbell para narrar su paseo
nocturno por el cabaret de La Habana, y se refiere a
la *equivocación* del "emcí" de *Tropicana,* que lo
confunde con el magnate de las sopas. Como le
acompaña su mujer, toda la "visita" se refiere a ella,
a la que presenta como contrapunto moralizador y
sensible, ejemplo de lo que debe ser una mujer.

La Habana aparece aquí como el paraíso de los visitantes, y un cierto cinismo de cuarta fila recuerda algún cuento exótico de Somerset Maugham.

2. Los reparos de Mr. Campbell van fundamentalmente a la visión que su marido da de La Habana, en la que ella desvela ciertas incomodidades. Frente al papel que él le hace jugar, y siempre referido *al cuento* de Mr. Campbell, ella se presenta como menos convencional y "femenina", al tiempo que desenmascara al escritor turista, y a su literatura, irreal y cargada de tópicos.

3. En las versiones siguientes, el lenguaje (perfectamente conseguido) de la mala traducción, literal, revela la estructura de la lengua inglesa demasiado evidente, pero descabala el sentido, mostrando la diferencia *de pensamiento* entre las dos lenguas. El traductor (malo) traiciona al lector, pero la misma traducción traiciona ya: el conocimiento de una tierra y una cultura (dice, parece decir Cabrera Infante) es imposible desde otra cultura, desde otra lengua. Las *notas* de esta traducción, intentando *explicar* lo que las palabras inglesas no pueden sobre la realidad cubana, son (además de la incapacidad de Rine Leal —el traductor— para encontrar *los equivalentes* en cubano) una muestra patética de esta diferencia fundamental entre las dos lenguas.

En el prólogo sitúa a *los visitantes* en la *realidad:* en *Tropicana,* anunciados por el "m. c.", que equivoca a Mr. Campbell con el magnate (real en la vida real) de las sopas Campbell. Este prólogo, que parece hecho para ser oído, saca todos los personajes del mundo de ficción, mientras se universaliza el espacio *Tropicana* al de toda la novela, que, así prolongada, parece ser sólo el espectáculo de variedades de una

noche de cabaret. Pero —y de nuevo volvemos a
9, Bachata— la nota biográfica del escritor Campbell,
facilitada por GCI a Silvestre, pone en duda su
presencia en *Tropicana* la noche de autos...

2-7-6 *(Los debutantes, La muerte de Trotski, Rompecabeza).* El tema de la muerte (y la corrupción)
desde el principio (*Los debutantes)* contamina la misma literatura *(La muerte de Trotski),* en traición
doble a la vida y al lenguaje, y se resuelve (vida y
lenguaje traicionados) en el inmenso *calembour* de
Rompecabeza. El nombre *(Rompecabeza)* que alude a
la Gran Cabeza de Bustrófedon, rota por el médico
(científico-ignorante de lo verdadero), y especialmente
por su curiosidad por saber cómo funcionaba su maravilloso cerebro (y la curiosidad es el origen de la
ciencia y antes del mito y de la filosofía), el nombre,
digo, alude también a juego, a *puzzle,* en castellano
rompecabezas. Pero también a recomposición, a volver
a poner las cosas (problemáticas) en su sitio: su sitio
científico (el diagnóstico científico del médico) pero
inhumano, desde la orfandad casi no creída de los
tigres. Trotski, por fin, el rebelde, muere con la
cabeza, también, rota por un golpe de piolet.

Por último, las *diagonales:*

4-5-6 *(La casa de los espejos, Los visitantes, Rompecabeza)* y 8-5-2 *(Algunas revelaciones, Los
visitantes, Los debutantes)* trazan las últimas interco-
nexiones y cierran definitivamente la novela en torno
al centro del cuadrado: *Los visitantes,* la gran
mentira. En última instancia, el traidor más traidor es

el *traductor,* no sabemos si a secas o el mal traductor. Leal a su oficio, leal definitivamente a lo que ha de ser: inglés-inglés, no inglés (USA) cubano: la traducción ya no es traducción porque no puede serlo. Además, en la buena incluso, la falsedad está también en la incomprensión total y absoluta de la realidad —por parte del escritor (visitante-extranjero-yanki).

La mentira en el lenguaje contamina la mentira-traición-irrealidad en el campo de la misma *realidad.*

Hace por fin Cué alusión *a dos relaciones más,* en las que especialmente parece que se fija (nos llama a fijarnos). Releo:

> "El cuadrado mágico. Vale tanto como un círculo (...) porque como quieras que sumes tendrás el número 15. (...) Fíjate también que *la suma* de estos dígitos, 1 y 5 dan 6, *que es el mismo final, y restados* al uno del otro *tienes el primer número del cuadrado,* el 4.

Compruebo: 1 + 5 = 6: *Prólogo* + *Los visitantes* = *Rompecabeza.* Efectivamente, la presencia del personaje de cuento en la realidad del cabaret, la fusión de la literatura y la realidad sólo puede ofrecer *Rompecabeza,* esto es, *nonsense,* y mentira, la terrible realidad (de la literatura) desvelado por el narrador de B.

5 — 1 = 4: *Visitantes — Prólogo* = *Casa de los espejos: Visitantes* (mentira de literatura) a la que se retira esa otra frase situadora en la noche habanera —que nos confiere la cada vez más ambigua seguridad en la presencia al menos de Campbell en la realidad que narra, del contacto de autos y realidad: pues bien, sustraído, por voluntad de Caín Asesino, ese

único asidero de realidad, queda sólo *espejos:* vacilación, confusión, mundo irreal—. Finalmente —y esto confirma la creencia de que el cuadrado era toda una pista— Arsenio sonríe momentos antes de cerrar el cuadrado, momentos antes de pintar el 6, y le mira, y "estabilidad para ti, me dijo sonriendo, y para mí". Por dos razones: una, porque con el cuadrado, cojo de ese número, la historia queda incompleta, luego posible, factible, reesplicable. Y dos, porque en 6, *Rompecabeza,* por definición pierde la estabilidad del conocimiento, del lenguaje —incluso de ese lenguaje suyo— de la propia vida, en el contacto brutal con la muerte.

Si además se sigue el criterio valorador propuesto por Arsenio, toda la novela queda retrotraída a un juicio a la literatura, que comienza haciendo vacilar a lo real —o su conocimiento— para acabar resolviéndola en el sinsentido: haciendo de ella una traición injustificada —pero bella— de realidad no cognoscible.

Resumiendo: según este esquema todos los libros se relacionan entre sí. Esta es, sin embargo una "clave de lecturas" porque cada columna del cuadrado puede ser leída independientemente, conservando una continuidad en las historias una verdadera (y completa) unidad temática. Pero lo que es más importante es *la propuesta misma* de *una lectura cabalística* —entre otras— desde el interior del libro y para el propio libro. Siguiendo a Borges, la cábala se basaba en una concepción especial del texto —facilitada por el misterio de su revelación en el caso de la Biblia—. Inspirada palabra a palabra, *escrita* por la divinidad, la Escritura es "un texto absoluto donde la colaboración del azar es cero". El libro está *definitivamente escrito,* y con lo que debe contener, hasta la última letra cargada de sentido, de causa, en profundidad. Y ante "un libro impenetrable a la contingencia, un mecanismo de infinitos propósitos, de variaciones infalibles, de revelaciones que acechan, de superposiciones de luz, ¿cómo no interrogarlo hasta lo absurdo, hasta lo prolijo numérico, según hizo la cábala?''. Pero lo que resulta explicable, ideológica e históricamente respecto a la Biblia, se convierte en ambiguo, de alguna manera blasfematorio, ante un texto normal, escrito por un señor normal, hecho para ser leído normalmente. El desmadre de la novela esta consiste precisamente en que propone ser indagada como los cabalistas leían la Biblia, hasta agotar la última de las casualidades; o tal vez, que *niega estas casualidades:* Borges relaciona estas propuestas —conscientes en este texto y en otros— con la relación entre el azar y lo voluntario en el momento de la creación literaria. Dice:

a) Cualquier texto admite el azar: se limita a comunicar, *postulándolo,* un hecho o varios.

b) El texto poético, sujetando el sentido a las necesidades —o *supersticiones,* según Borges— eufónicas, vuelve casual el significado (respecto al significante).

c) Pero el escritor *intelectual (sic.)* —entre los que sin duda hay que contarle a él mismo—, "en su manejo de la prosa (Valery, De Quincey) y en el del verso, no ha eliminado ciertamente el azar, pero ha rehusado en lo posible y ha restringido su alianza incalculable".

Si Borges, escritor *intelectual,* teoriza su labor crea-

dora como de restricción de lo casual, lo cierto es que
la mera aparición de estas claves prácticamente expre-
sas ofrecen el libro como un objeto terminado, cerrado, construido en cada palabra y cada estructura. El
escritor, como quería Vargas Llosa, es el dios, o
mejor, el suplantador del dios. Y su obra, como para
los religiosos medievales, el universo ordenado,
creado y acabado. Un todo al que el hombre moderno
—como en la cábala— puede acceder desde múltiples
y diversas, posibles, complementarias, lecturas.

Aparte de lo divertido de descubrir las correspon-
dencias ambiguamente prometidas, *lo fundamental
está en contar con la presencia precisa e inolvidable de
esta convocatoria, de estas varias convocatorias, clave
para la comprensión de la novela.* La exigencia, por
parte del autor, de una lectura racionalizadora, intelectual, única, que va a posibilitar una posterior vista
imaginativa. Según Umberto Eco, ''el arte, en casos
como Winnegan's Wake (y TTT lo es, a veces de
manera expresa: no hay que olvidar la referencia a la
mujer [Anna Livia Plurabelle] ni la nocturnidad común, ni la poética abierta, ni la excepcional traducción de las ''Dubliners'' de Joyce por Cabrera Infante), produce una forma, una estructura concreta;
y esta forma se entiende y se penetra en una serie
de actos intelectivos que empeñan al gozador en una
actitud racionalizadora, a menudo en una argumenta-
ción erudita; pero una vez aprehendida en toda su
complejidad orgánica, esta forma nos sugiere la
existencia de una estructura análoga, que hasta ahora
éramos capaces de *pensar* y no de *imaginar* de modo
irónico; en el momento en que se entrevé la posible
figura de esas realidades, de otro modo inimagina-
bles, se inicia todo un proceso de participación emo-

tiva, que se ejerce al aprehender y al interpretar una forma artística''.

Esta lectura de *los tigres* alude pues, única y concretamente, a su construcción, de tal manera que viene sugerida por una posible sustitución algebraica —donde todo son incógnitas—. Es esta proposición, una de las posibles en el texto, la que nos lo plantea como un sustituto del mundo, listo para ser leído, es decir, pensado, relacionado, reestructurado. El escritor se ha tomado la tarea de rechazar —o exigir que pensemos que ha rechazado— hasta el final el concurso del azar; para nosotros, ya, es una obra abierta y contamos con ello: por eso, una de nuestras lecturas es ésta.

Parece, además, que estas obras abiertas cumplen de la mejor manera con su tarea cabal de novelística; construir un mundo en toda su complejidad, y ofrecerlo como modelo del mundo (a secas): así, en una especie de conocimiento analógico, no sólo nuestra cabeza puede pensar las relaciones complicadas de la dialéctica de la realidad, sino que nosotros también podemos hacernos con una visión imaginativa de un total complejo; esto cumple con su tarea de añadir niveles de conocimiento insustituible gracias a la mediación del elemento *imaginación*.

La imaginación guiará al lector a encontrar las equivalencias, muchas veces evidentes, que hay entre el valor cabalístico de los números y el sentido de cada libro (invito al desconfiado a comprobarlo sobre el texto mismo). Como base confirmatoria de mi propia sospecha —Cabrera niega y negará siempre que la cábala haya presidido su creación, pero no podrá evitar que la utilicemos como método de lectura— he utilizado el texto de Marcos Ricardo Barnatán, *La Kabala*. Resumo:

El 1 es el Aleph, la primera letra del alfabeto hebreo. Significa Buey-guía, o jefe, y cabeza de fila de los números por venir. Es, en química alquímica —maravillosa redundancia—, la *piedra de toque,* que en la vida cotidiana quiere decir *la clave.* "En la predicción —dice Barnatán— promete dominio de los obstáculos naturales, iniciativas fructíferas, amigos leales que colaboran con la empresa emprendida y amigos celosos que no tardarán en obstaculizarla". Y en el jeroglífico significa el hombre como unidad colectiva. En TTT era el prólogo, ese discurso en que un presentador para americanos abría el espectáculo de *Tropicana* en mala traducción mixta de esa lengua mixta cubano-inglés. Todos le llamaban el *emcí,* es decir, el M. C. El Rostro Negro del Aleph es vanidad y egoísmo.

El 2 es la Beth, la segunda letra del alfabeto cabalístico y sagrado. Significa, poderosamente, la imaginación como principio plasmante, y también la casa y el orígen, lo femenino y pasivo en la pareja primordial. Es inseparable y no de Aleph. "Despierta en el hombre —dice Barnatán— aptitud para considerar los valores opuestos, coordinar la afinidad de las cosas y propender la relación de los sexos." "Su Rostro Negro —sigue— indica inconstancia, torpeza, confusión, tinieblas." En el jeroglífico es la boca, la palabra humana. Y con el Aleph, indica el paso de un estado a otro. En TTT, es *Los debutantes,* historia de hechos clave, de cambios de estado, explicación de orígenes, principio de corrupciones y, sobre todo, palabra. En ninguna parte como aquí la boca humana puede distinguir tanto a personajes que supuestamente se entienden entre sí, en la supuesta misma lengua. Y su corrupción, es decir, su adiestramiento, se hace, precisamente, en la torpeza, la confusión, las tinieblas.

El 3 es Ghimel, la tercera letra del alfabeto sagrado. Es la trinidad, con los otros dos, para completar el número de orden que rige el mundo y los dioses. Encarna la función dinámica de la vida, y es, dice M. R. B., "según el esoterista Eliphas Lévi, el fin y la expresión del amor porque es el lazo misterioso que une lo activo con lo pasivo, el hombre con la mujer, el falo con la vulva". "Despierta en el hombre —dice— capacidad para identificarse con lo oculto y lo manifestado." Y su rostro negro habla de obstáculos a vencer. En TTT es *Seseribó,* y la significación que el Tres tiene de *garganta,* de hueco orgánico, y al tiempo de copulación con el misterio, se encuentra en la narración que rige el libro: la del mito afrocubano de Sikán y Ekué, la historia del tambor sagrado, *Seseribó,* contada por Eribó, el bongosero, y su terrible amor imposible.

El 4 es Daleth, significa *puerta* y rige la virtud de afirmación, negación, discusión y solución en la mente humana. Es un signo azul e índigo, e indica indiferencia y variedad. Su rostro negro es la obstinación, la excentricidad y la prodigalidad. En TTT, el 4 es *La casa de los espejos,* puerta del cuadro de la vida —que es cuadrado y no de otra manera, porque cuatro son los elementos primordiales que se encierran en el Daleth—, y que, siguiendo de amor en la historia principal, hará moverse la realidad del personal, de casa en casa, vacilando los personajes y las situaciones.

El 5 es He, las letras E y H, y el quinto signo del alfabeto sagrado cabalístico. Significa, a un tiempo,
esencia y existencia. El elemento alquímico que le corresponde es *purificación de los ingredientes,* y su
rostro negro, asociado a la mentira, a la violencia, al
entrometimiento y a la desgracia, es particularmente
terrible. En TTT, es *Los visitantes* —historia de traducciones y traiciones— y en predicción, dice
Barnatán, "según el cabalista A. D. Grad, la *He*
comparte con la *Heth* un pavoroso rostro negro: es la
letra de Haman, el verdugo de los judíos, hijo de
Hamedata. La letra de Herodes el Grande,
organizador de la matanza de santos inocentes, y de
Herodes Antipas, juez de Jesús y verdugo de San
Juan Bautista, cuya cabeza pidió Herodías". "La historia secreta del nazismo —sigue— está presidida por
la letra H: Hitler, Heil Hitler, Heinrich Himler, Hess,
etc. El mariscal Hindenburg exaltó a Hitler canciller
del Reich. Haushoffer fue el animador del grupo
oculto Thulé, de donde salieron los siete fundadores
del nacional-socialismo. El hijo de Hauschofer,
Heinz, incitó a Hess para que volara a Gran Bretaña
bajo el nombre de Horn para encontrarse con el
duque de Hamilton. El ministro de la policía
hitleriana, brazo derecho de Himler, se llamaba Hei-
drich. Hoess comandó el campo de exterminio de
Auschwitz. Las experiencias médicas con prisioneros
fueron comandadas por los médicos nazis Hippke,
Hirt y Holzloener. El mago Hanussen, oráculo del
grupo Thule. El aliado asiático de Hitler se llamó Hi-
ro-Hito, emperador de Japón. Y la bomba que más
tarde perfeccionada se llamaría bomba H cayó en Hiroshima". Jeroglíficamente significa la vida y
también la muerte, la existencia y también la destruc-

ción. Invertido es signo de apocalipsis y exterminio. El pentagrama es, según Paracelso, el signo más poderoso de todos los signos. Aquí, en TTT, el 5 ocupa el centro del cuadrado de la vida, el corazón del de la literatura, la suma de lo literario y la traición, la mentira y la muerte. Tampoco sería de extrañar que el cuento mil veces traducido, que da opción —como vimos más atrás— a la entrada de Cabrera Infante en la propia novela, fuera realmente publicado alguna vez. Traición, mentira, injusticia y destrucción en lo literario, en lo real, se articulan en torno a esta casilla.

El 6 es el Vau, un signo particularmente fascinante: representa el principio del Verbo actuando en cada uno. Su signo el exagrama, la estrella de Salomón. Y es la señal del encadenamiento, la unión, la combinación, el juego de contrarios. Si su rostro negro indica relaciones contra natura, lascivia y desorden, el exagrama llegará a ser el símbolo del Macrocosmos Inorgánico, de la *Natura Naturata*. En TTT, *Rompecabeza* es, además del *clavo* (que es lo que significa Vau), el verbo heredado, el juego de la palabra. La relación armónica, y también, la muerte.

El 7 es el Zain, que significa saeta, y también, como acción, difundir, emanar y manar. Habla de arma que se clava, y su arcano mayor, en el Tarot, es el Triunfo, el Carro. Indica honor y deshonor, y si quiere decir genialidad, en su Rostro Negro significa locura. Como símbolo jeroglífico, dice Barnatán, "se interpreta como silbido, o el sonido que hace la saeta al lanzarse, y se aplica a todo sonido que penetra el aire y en él se refleja. Está representado por una flecha arrojadiza". En TTT es *La muerte de Trotski referida por varios escritores cubanos, años después —o antes—*. Los escritores parodiados en esta parte son *siete;* la parodia no ha sido escrita (silenciosamente) sino grabada por Bustrófedon; a Trotski lo mata Mercader a traición y con un piolet, esto es, arma arrojadiza, y que penetró en su cabeza, posiblemente silbando, y el propio Bustrófedon (B) morirá de la misma manera cambiando el pico de alpinista por la saeta del quirófano.

El 8 es el Heth, que encarna la existencia elemental. Indica predominio del intelecto sobre la materia, del conocimiento organizado sobre el simple impulso. En su Rostro Negro se lee amenaza, repulsión, espanto. También es asimilable a falsía, duplicidad y desconfianza. En TTT, el 8 es *Algunas revelaciones.*

El 9 es Teth, la novena letra. Significa serpiente, y también sabiduría, misterio, lo insondable; expresa la razón de ser de todas las formas —dice MRB—, porque contiene en sí a todos los números simples. Su arcano mayor es el Ermitaño, y representa la culminación y regeneración de la existencia. En predicción indica "ciencia para hacer descubrimientos, orden al realizarlos y cautela al servirse de ellos". Y en la lectura jeroglífica se interpreta como el asilo, el refugio ante los peligros interiores y exteriores. En TTT es la *Bachata,* ese largo paseo en que se habla a lo ancho de la ciudad y de la noche habaneras, donde el lector —y los personajes— encuentran la explicación de lo ocurrido, pertinente, hasta entonces, y donde, finalmente, no se habla de lo que se quería hablar: donde va a resolverse una historia de amor en una desgracia, y una historia de escritura en otra traición. Y más.

Tomo también de *La Cábala* las primeras frases de *Sefer Yetsirá:* "Por treinta y dos caminos de sabiduría, Dios, el Eterno Tsebaot, el Dios de Israel, Dios viviente, Dios Todopoderoso, elevado y sublime, que habita la eternidad y cuyo Nombre es Santo, ha trazado y creado su mundo, bajo tres formas, en la escritura, en el número y la palabra".

Las lecturas-juego, cuando éste es tan sugestivo, tan lleno de misterio, nos pueden llevar a dos convicciones al menos: la primera, que está consumada la suplantación del dios, y que ésta es el acto mismo de escribir. Que si todas las ciencias esotéricas y la cábala tienen una innegable vocación interpretativa del mundo, de la vida, de la conducta de los hombres, y también educativa, de guía de peregrinos y de asentadora de unas normas morales, lo cierto es que se centran en la lectura del Libro, del discurso escrito. Créase o no la revelación divina, detrás de la palabra trazada por la mano del hombre se esconde el misterio de la significación múltiple. La segunda conclusión roza, en mi caso, el escepticismo. Si la lectura desde el misterio puede aplicarse a cualquier texto mínimamente complejo, y se puede afirmar que, en realidad, y contra toda esperanza, ha sido el principio gestador de esta escritura, y no conviene al hecho de la escritura el proceso de revelación —o al menos, no a toda la escritura—, queda el hombre en la soledad más brusca, sin el asidero de la verdad salvadora, sin la presencia de un criterio de veracidad que avanza, inexorable, de la literatura a la vida. No en vano, el texto mismo se propone como paradigma de lectura del mundo.

Por último, si las relaciones entre libro y mundo no

están sujetas (tampoco) a criterios de verdad, que serían incomprobables, el acto de escribir se puede convertir —y se convierte— en la cadena sin fin de lecturas de lo real. Y la mejor manera de hacerlo —de hacer este estudio, sobre esa novela y ella sobre la realidad cubana— es jugando. Al menos, la más inocente. Y la más divertida. Tal vez, una de las más sensatas.

Pero el juego de Cabrera Infante —y no me puedo cansar de repetirlo— va en serio. Como el mío: él monta su texto sobre la *realidad* cubana, y el texto funciona gracias, precisamente, a la tensión entre su capacidad fabulatoria y su necesidad de actuar como cronista del mundo, de Cuba y de sí mismo. Esta tensión, que veíamos estructural, a nivel de lenguaje, de construcción de historias y de estructura, continúa y funciona en sus dos grandes configuraciones míticas. Es en los mitos donde el hombre encontró ese puente entre la realidad inexplicable, entre lo inaprehensible y su capacidad fabuladora. El mito le enseña al hombre, niño o adulto, a apropiarse del mundo, a conocerlo más allá de las matemáticas. En el mito preexiste lo real y su explicación creada. Y cuando en una novela existen como mitos unos que le son propios, se ha configurado en ella un universo total. Dentro de ella estará la explicación de sí misma. Si toda la obra de Cabrera Infante va y viene desde la crónica a la creación, esta crisis va a culminar en sus dos mitos maestros: *La Estrella,* que junto a *Cuba Venegas* van a mitificar a *Cuba la Otra,* en esa disyuntiva finalmente resuelta entre civilización y barbarie, y Bustrófedon, el mito de la palabra, la invención y la escritura. De la literatura, es decir, de la fabulación.

La primera configuración mítica que nos encontramos en *Tres Tristes Tigres* es La Estrella. Un personaje, mejor dos, que no hablan por sí mismos, pero que son narrados juntos, y que están ligados con la relación de los opuestos: *La Estrella,* cantante negranegra, enorme, de hermosísima voz, estrafalaria en su sobreabundancia de todo, carne y voz (cara), y *Cuba Venegas,* antes Gloria Pérez, cantante también, pero arrubiada y presumida, sofisticada (cruz). Las dos están relacionadas *expresamente* con Cuba *la otra.*

La historia de La Estrella está cerrada. Constituye por sí misma una unidad temática dentro del laberinto que es esta novela, si bien deja resquicios de la relación con el resto del libro, con la novela total. El mismo autor la anuncia con el título que precede a cada capítulo de esta historia: ELLA CANTABA BOLEROS. E incluso en el título se abre una por esta vez mínima ambigüedad, porque las dos (La Estrella y la Venegas, coronadas por toda Cuba) cantan boleros. Sólo que "Ella", ahora, no puede ser más que *La Estrella,* es decir, Cuba (la Venegas no, la otra). La gran diferencia es que detrás de la Venegas está la orquestilla y el aparato de luces. La Estrella se basta sola, se rebela y canta sola, crea —y son palabras de Cabrera— los boleros que Pérez Prado sólo pudo escribir (para Cuba), que tal vez sólo intuyó.

La rebeldía es constitutiva en el personaje: *La Estrella* no es más que el anuncio, casi animal, instintivo, racial, de la protesta originaria de lo primitivo, del sustrato, de la negritud. Enfrente está la civilización *blanca* del micrófono y los cabarets. La Estrella aparece oponiéndose a la técnica y a la mistificación pero —contradictorio y creador— deseando *triunfar*

precisamente en ese mundo, el único posible ya. Y
después de muerta y reducida a su imponente materia
(antes era mucho más, era voz, era canto y profecía),
Códac puede constatar en el recuerdo que *ellos* ya han
cedido. Unas negritas, tres, no una, pueden cantar
ahora sin música. La única victoria de *La Estrella* es
una victoria póstuma. La Revolución devora a sus
hijos, pero quizá libere a sus nietos.

Símbolos al fin de la misma realidad, Cuba
Venegas y *La Estrella* remiten juntas a dos Cubas distintas: la Venegas traslada a *Tropicana,* La Habana
de los yankis, y es la única mujer de la que se dice
claramente —y no se sabe si es la Venegas o la otra—
que es una prostituta. *La Estrella,* inseparada e
inseparable de este mundo, alude directamente a la
naturaleza ofendida, a expensas de la cual todo se
mantiene. Alude a la rebelión de esta misma naturaleza, a la que no queda sino asumir la realidad, pero
luchando. Es el potencial natural y humano, en auto-
afirmación rabiosa e inconsciente (la negra no soporta
ni la orquesta —la civilización— ni el tema de su
propia negritud). Y lucha, *dentro* de ese mundo (ahora los cabarets, la noche, el espectáculo) porque la
historia no pasa en vano y no hay vuelta atrás posible:
el progreso jalona ya ahora para siempre el contacto
del hombre con la naturaleza y los otros hombres. La
rebeldía, por ciega que sea, no puede negar esto: *La
Estrella,* inconsciente, es la naturaleza y la raza
maltratadas (unidas en este primitivismo que nuestra
cultura se empeña en relacionar con la piel negra) que
ofrecen su potencia natural (sólo) para pretender el
triunfo total; el triunfo que sólo la realidad completa
(con el poder industrial y la ciudad, los micrófonos y las
orquestas) pueden ofrecerle. La vuelta atrás para

Cabrera se muestra no ya inasequible sino no deseable e *innecesaria*. La Estrella, un gran mito indígena, no lo pretende (ni lo es).

La historia de *La Estrella* está cerrada. Empieza con su llegada, dura lo que su carrera, y acaba con su muerte en el extranjero, y con el regreso de su cadáver por el peso y por el barco. Está cerrada incluso a los tres protagonistas, por llamarles de alguna manera, y sólo se relaciona con Códac, "el fotógrafo de las estrellas"' (de *La Estrella,* y podemos pensar en las silenciosas eses finales cubanas) que es quien cuenta su historia. Es, dice Códac cautivo, "la salvaje belleza de la vida", e irremediablemente empieza su relación con ella, una relación que en realidad es de mirada, únicamente, "a la distancia focal de": Con la naturaleza, con Cuba, no se puede hacer sino eso: verla. A La Estrella, porque es demasiado imponente para hacer otra cosa —aunque lo mejor que puede hacerse es escucharla, ella que es el grito ancestral de lo espontáneo, de lo negro y lo dado—, y a Cuba (la Venegas), porque "es mejor, mucho mejor ver a Cuba que oírla, porque quien la ve, la ama, pero quien la oye, la escucha y la conoce, no puede amarla ya nunca". En la intención de Cabrera, esta afirmación trasciende, como todo el personaje, a la Venegas, para tocar la realidad que ella simboliza. Porque si la Venegas y La Estrella aparecen siempre juntas (odiándose) en el relato de Códac, Cuba-país aparecerá también agazapándose en la coincidencia entre el *nombre de guerra* de Gloria Pérez y el verdadero de la isla. Y por este su ser marítimo, se evocan al pasado con la presencia onírica, ideal, de peces (y todas las connotaciones fálicas que estos símbolos traen). Peces que, vayan o no referidos a la relación erótica, a veces en la camuflada pesadilla, se convierten en ballena, en cachalote, y que al recuerdo de La Estrella son, inevitablemente, siempre, la ballena negra, la imposible Moby Dick de la isla Caribe.

Como otras, esta alusión también la hacen ellos. Yo lo único que puedo hacer es sacarla del contexto de broma de mal gusto en que estaba, tomarla por la pista que estoy segura que es —apoyada por otras alusiones a Melville— y explicármela. Para Melville, *Moby Dick* era el objeto que busca el capitán Ahab, una materialización subyugante de la Naturaleza. Y al mismo tiempo de algo indefinido, indefinible, demonios personales del autor y del personaje, pero en él lo que importa es la búsqueda, agónica, atormentada, porque toda la vida del hombre la rige —desde esta conciencia mortificada por la desconocida culpa, desde esta conciencia a secas— la lucha implacable con lo físico, y en esta lucha, digo, el rival (Moby Dick) se hace ambiguo, son tantos rivales, es sólo eso: el contrario. Y ni siquiera. Porque la conciencia (el capitán Ahab) raya la locura, y la naturaleza, lo irracional, adquiere —gracias al contacto con el Prometeo y su obsesión— caracteres de consciente, de moral, de ordenado y, sobre todo, de respetable. Es su lucha la que les contamina y la que les divide, pero esta contaminación caracterizará las relaciones (las comprensiones) que se dan entre los dos opuestos.

Melville, Faulkner, los escritores norteamericanos —y lo ha dicho Carlos Fuentes— se presentan el dilema de la ancha naturaleza continental como contradictoria: conquistarla sin violarla. El respeto del cazador al oso, de Ahab a la ballena, el respeto al elemento natural (simbólico) es una actitud distinta (correcta) frente al pecado del hombre mismo. Faulkner va más allá: el símbolo femenino, la mujer, participa de las dos verdades: la bondad natural conquistable y respetada por el hombre y la humillación que el pecado del hombre infringe al propio hombre y a la naturaleza. Porque la naturaleza, sin la presencia empecatada humana, era esencialmente buena y la mujer es tierra, naturaleza. El pecado lo trae el hombre.

Pero aquí, en TTT, no. La enormidad de La Estrella, su misma exuberancia biológica, atrae y cautiva al fotógrafo y lo subyuga en absoluto. La misma historia de su maternidad de palabras (aquel hijo más tarde muerto, siempre anormal según propia confesión), de su unicidad infecunda en realidad, la convierten en lo irrepetible, lo único, lo grande. El hombre (Códac) sólo puede ser devorado por ella, no conquistable. Porque, en su grandeza y su negrura, el atractivo poderoso de *La Estrella* es repulsivo. La naturaleza del trópico (hasta el insular) es hermosa por lo terrible, por lo potente, por lo irracional. Pero cuando el hombre es víctima de la naturaleza (en esa lucha a prostituir entre el espectáculo cubano y La Estrella, entre La Estrella y Códac o Alex Bayer), y otra cosa que ser víctima no puede ocurrir ahora, entonces el hombre-víctima repele esta fuerza terrible en verdad, y la muestra.

Alex Bayer nos enseña la otra cara de La Estrella: se le coló en casa, le humilla con sus palabras, ocupa la vivienda con la exageración de su canto (lo más natural de La Estrella) y MIENTE. Miente.

En Faulkner y Melville la naturaleza es *verdadera*. Aquí no. No es verdad que tenga un hijo, no es verdad que sea tan "abnegada", no es verdad nada de

cuanto dice (sobre todo, lo referido a Alex Bayer). Lo
único verdadero de La Estrella es que quiere triunfar.

No podemos decir que Códac desconoce esto: el
hombre latinoamericano sabe la realidad que pisa.
Pero sabiendo su doble verdad (atractivo-repulsión),
es la misma naturaleza asesina la que, en un ejercicio
sádico, cautiva y oscurece, atrae y ata. Esta realidad
arborescente, cálida, terrible y húmeda. Sin la
angustia del pecado del hombre, éste aparece en la
misma naturaleza material y esencialmente contaminada. Fundamentalmente hostil. Pero tan atrac-
tiva...

De vértigo y abismo (fotográfico) son las relaciones
de Códac y La Estrella, a la que, por eso mismo, y a
pesar de sus protestas ("La Estrella, la amo a Vd."),
Códac no podrá amar jamás.

La Estrella, mito de la naturaleza anfibia, insular y
negra, se nos presenta como *vencida:* sólo la muerte
podía, pero la vence. No será ya la naturaleza
triunfante de "Canaima" o de "La Vorágine",
porque es ambigua, porque está contaminada de humanidad, porque es humana, porque donde está (¿en
ella, fuera?) lo salvaje, lo originario, lo bestial.
Porque en esta lucha de contrarios quién es el
"bueno". Porque no hay ya más buenos a secas.

Conservando su aspecto poderosísimo y devorador,
pero la debilidad de su fracaso, tal vez los espacios
más cortos del lagarto verde y perezoso que es La
Cuba de Caín hacen a su *teluridad,* completa ya
con los hombres que viven en sus márgenes, más
asequible, más comprensible, más fácil. Más
tentadora. La ballena negra muere en el extranjero
quizá sólo para abrir extrañas posibilidades
interpretativas, claves sólo para iniciados. Porque

con ella muere toda Cuba, esa mixta realidad. La Estrella se nos revela muerta. ¿Y Cuba?

Esta novela, escrita después del final de la presencia yanki en la isla, pero ciñéndose estrechamente a esta época, nos da una visión negativa y desilusionada que parece ir más allá de esos mismos años. Parece ir hasta el núcleo mismo de la condición humana. Centrando el presente eje de la novela en la muerte de La Estrella (la narración de su vida será un inconfesado pero confesado recuerdo de Códac), el mito adquiere todo su tamaño, el símbolo más triste de esta novela triste, allí donde Cabrera Infante parece cerrar la puerta a la esperanza. Pero es tan *ambiguo* que tal vez la esté abriendo, porque en esta mujer-deseo, en esta no-mujer, personifica él la imposibilidad de realización *dentro de un mundo muy concreto.* La muerte (definitivo fracaso) de La Estrella, como la muerte de Bustrófedon, son profecías y posibilidades precisamente de lo contrario a lo que les acabó: precisamente en lo que tienen de reacción a lo establecido, a lo institucionalizado, en lo que tienen de exigencia de *Naturalidad* (cantar sin micro) y de *Espontaneidad* (a nivel del lenguaje en las recreaciones, llenas de sugerencias, de B..., tan al margen de cualquier academia).

En cuanto a Cuba (la Venegas no, la otra) ya lo dice: sólo verla, ni oírla ni amarla, como no sea con un amor pequeño, nocturno y rápido. La otra, la que antes era..., pero ahora es Cuba, está fundamental y definitivamente empecatada y corrompida por ese largo camino que los mismos *tigres* (Eribó, Códac) le abrieron.

Algo más: entre las muchas variedades de tortugas que viven en las playas de la costa cubana, hay una especialmente fascinante. Se llama *caguama*. Por su gran tamaño, queda a veces varada por las mareas, en la arena. Entonces es peligrosa para los marineros, que la buscan por su carne exquisita y su concha preciadísima. Se cuenta que su sexo, en celo, es como el de una mujer, y que su lujuria poderosa necesita de veinticuatro horas de unión para poder ser fecundada. La *naturaleza* la ha dotado de un extraño apéndice óxeo, con el que estrecha y fija el abrazo del macho, durante el largo coito. En Cuba, y según el propio Cabrera Infante, corren viejas historias de pescadores fascinados por la tortuga, y desgarrados en el feroz encuentro.

A *La Estrella,* anfibia y enorme, exhibido y sensual símbolo de Cuba, se la llama alguna vez, en esta novela terrible, la Caguama.

La segunda gran configuración mítica de la novela es B., Bustrófedon. Según el diccionario, ''Del griego, *boustrophedón,* de *bous,* buey, y *atropheis,* volver, tornar. Manera de escribir que consiste en trazar un renglón de izquierda a derecha y el siguiente de derecha a izquierda. Se usó en Grecia antigua y tomó nombre de su semejanza con los surcos que se abren los bueyes arando''. El mismo nombre, pues, refiere ya el verdadero significado del personaje. *B.* será una manera de escribir, *la manera* de escribir. Será, además, una clave de lectura, para adelante y para atrás, que es la manera de entender la obra abierta, y, fundamentalmente, B. será la clave principal de *sentido,* de comprensión de esta novela.

En este personaje está además toda la estética

teórica de Cabrera Infante, puesta en práctica en la obra y en las posiciones que Bustrófedon representa, y, detrás de ella, sustentándola, toda la comprensión del mundo.

Como la obra que realmente protagoniza, Bustrófedon tiene infinitas lecturas, de las que no es la menos importante su dimensión mítica, paralela a la de La Estrella, que universaliza la otra *realidad:* la del único lenguaje posible en el mundo de La Estrella vencida, de la naturaleza y lo original vencido. Bustrófedon será la personificación mítica del lenguaje.

Al personaje podemos calificarlo como *el Gran Ausente*, en realidad, omnipresente en el recuerdo y en los efectos. B. tampoco goza de palabra —el gran palabrador—, sino que está narrado por Códac. Y eso que es él, el Bustro, el que da nombre a las cosas y a los hombres. El es el nombrador original, el Adán imposible de la escritura y del mundo.

A un primer nivel, a una primera lectura, aparece impreciso; sabemos que es uno de los amigos de esa cuadrilla, tal vez Floren Cassalis, que asiste con ellos a los guateques nocturnos y a las correrías, animándolas con su facilidad-dificultad clínica para el juego de palabras. Y sabemos alguna anécdota, inseparable de la escritura, que refiere al Bustro a sus *padres literarios:*

"—Y quién hizo burlas (preguntó Bustrofactótum, y como él era un tipo largo y flaco y con muy mala cara y esta mala cara picada por el acné juvenil o por la viruela adulta, o por el tiempo y el salitre, o por los buitres que se adelantaban, o por todas esas cosas juntas, se paró, se puso de

pie, se dobló, se triplicó, se telescupió hacia
arriba, agigantándose en cada movimiento, hasta
llegar al cielo raso, puntal o techo).''

Y el dueño se achicó, si es que podía hacerlo todavía, y
fue el hombre increíblemente encogido, pulgarcito
o meñique, el genio de la botella al revés y
se fue haciendo más y más chico,
pequeño, pequeñito, chirriquitico
hasta que se desapareció por
un agujero de ratones al
fondo-fondo-fondo,
un hoyo que
empezaba
con
o

Y por si la representación gráfica fuera poco, el recuerdo continuará:

''... y me acordé de Alicia en el País de las Maravillas y se lo dije al Bustroformidable, y él se
puso a recrear, a regalar: Alicia en el Mar de las
Villas, Alicia en el país que más brilla, Alicia en el
Cine Maravillas...''

La manera de crear del Bustro tiene pues algo de
Carroll, algo de lo que el genial escritor inglés dejó ya
de patrimonio a las letras del mundo. Sin ningún
pudor, vemos a Bustrófedon continuar a colmo el
nombre de la amiguita y personaje de Carrol. Sin embargo, hay algo de distinto en los *calembours* de
Cabrera, frente a los del autor de Alicia, e incluso
frente a los de Joyce, a quien debe más. La asociación
de palabras por su semejanza formal, llevada al extremo, hasta el agotamiento serial, pone de manifiesto la
definitiva *casualidad* del lenguaje, su arbitrariedad, al
tiempo que vacía de sentido la palabra de origen.

Aunque se le añaden, como un cáncer maligno, nuevas connotaciones. En estas listas donde *palabrar* es un juego, nos ofrece Cabrera una espiral de contenidos absolutamente puntuales y finitos, transitorios como el sonido de la voz hablada misma, como las fotos sucesivas de un film en proyección. Y desde cualquiera de esas palabras-hijas seguirá creando nombres para cosas que seguramente no existen, gracias al mero poder fonador, a mil combinaciones posibles todas ellas al margen de cualquier código —o no.

Pero largarse por la cadena de las semejanzas —está probado que recordamos *así*— no es la única manera de hacer *nonsense* de Bustrófedon, y a través de él, de los principales personajes de TTT. Hay también la construcción de *palabras-maletín* a lo Lewis Carroll, que, como él mismo explicó en boca de Humpty-Dumpty, nacen de la fusión de otras dos, una por el principio y otra por el final.

Este procedimiento, que en su inglés produce hallazgos tan significadores como *snark* o *snorkell,* en castellano es más difícil, seguramente por la escasa vitalidad significante de los finales, desinenciales, frente al principio de las palabras, donde está la mayor carga semántica. Son las servidumbres de una lengua todavía demasiado *postdeterminada,* frente al inglés, que es casi únicamente *predeterminado.* De ahí la dificultad para encontrar los equivalentes de esos escritores tan tradicionados que son Lear, Carroll o Joyce, y el escaso cultivo del nonsense carrolliano en castellano, e incluso en francés.

Con todo, encontramos este mismo método en TTT: "... o decir que sus números (más después, ver adelante), que son Américo Prepucio, y Arún Al Haschis, y Negrón, y Duns Escroto, y el Conde Orgasmo..." Es difícil, en cualquier caso, delimitar hasta dónde está la fusión de partes significantes de la palabra, y dónde empieza la superposición de una en otra.

Lo que sí es diferente es el punto de vista del que se realizan estos juegos: mientras en Carroll es el personaje, la significación, el contenido de la palabra y su novedad la que obliga a la creación del vocablo nuevo, a Bustrófedon es la forma, los sonidos meramente los que le llaman al juego. Detrás de ellos vendrán los maravillosos equívocos, los especies de actos fallidos, malignos, de convocatoria a significados prohibidos.

Este mecanismo se complica con la entrada en la novela de otras lenguas: inglés especialmente, y sus disfraces ortográficos, erróneos, hechos para dificultar o facilitar la lectura intencionada. A veces la escritura alude desde su apariencia de "una" lengua, al significado que estos sonidos tendrían en "otra" lengua.

Inmersa en esta forma de construir hay todo un sentido amargo y humorístico de la vida. Un ataque al lenguaje, que abriéndose al equívoco produce la sonrisa, y más, yendo como va siempre o casi siempre, a la burla cultural y al tema sexual, preocupación que el hombre meridional ha tratado de exorcizar siempre con la risa. Aquí sin intentos (evidentes) de exorcismo, se alude a él como modo de mostrar los personajes, sus vidas, sus objetivos, sus valores y sus deseos. Además por lo que tiene de tabú, su utilización exhaustiva es otra carta de contestación para esta novela contestataria. En la carcajada cultu-

ral, que pasa por este tamiz de lo prohibido pero natural, hay toda una concepción de la sociedad y la cultura
relacionada con la del escritor, sus tareas y su papel, y
personificada, ésta o su contestación, en Bustrófedon.

Sus alusiones no perdonan nada. Se refieren a lo
más *respetable* de la cultura occidental (filósofos o
pintores) o a personajes bien conocidos, de las
novelas de siempre, pasando por gente de cine, escritores, gente de canción. Sus pro y contranombres son
una lista perfecta y corrosiva de cómo, con el
concurso de significados populares, de los argots
regionales, un nombre absolutamente normal en
Madrid —como el de Conchita Piquer, por ejemplo—
puede ser muy divertido, o francamente grosero, en
Buenos Aires. Con todo esto se juega.

Por supuesto que la lengua viperina del Bustro no le
es exclusiva, pero lo cierto es que cuando específicamente se trata de hacer *calembour,* en la novela sigue
el recuerdo expreso de B. En cualquier caso, en Cuba
es posible hacer estas operaciones con las palabras,
estas torturas a la lengua, porque "ésta es una isla de
equívocos dichos por un tartamudo borracho *que
siempre significan lo mismo".*

Hay otro lenguaje más, exclusivo del Bustro: un
pariente de la lengua poética de Oliverio Girondo, y
del glíglico cortazariano, entroncado pues con ciertas
escrituras tal vez automáticas pero que van, esta vez,
en busca de significaciones más oscuras, más subte-
rráneas, o más clandestinas.

A mi manera de ver hay en estas construcciones
sonoras dos propósitos:

El primero de destrucción del lenguaje establecido,

del lenguaje normalizado, del lenguaje a secas. Es el móvil de las escuelas *dadá* y surrealistas, a las que, en otros planos —las metáforas interiores, los choques casuales de significados *tan* distintos, las zambullidas en lo onírico y lo casual, tanto a nivel de símbolos como a nivel de temas—, deben tanto a los escritores actuales. El *segundo,* de *expresión,* que es el móvil del móvil anterior: esta destrucción del lenguaje desgastado se da en nombre de la posibilidad de lograr una expresión cuyas formas sean nuevas, y además (y fundamentalmente) libres de toda intromisión de lo racional. Actuarán, pues, como elementos que sugieren. Y esto a todos los niveles de la lengua: desde el morfosintáctico al fonético, inmersos además como están en los niveles contextuales, con los que establecen también relaciones sorprendentes...

Aquí, en este lenguaje personal, las referencias (sugerencias) se dan desde los sonidos mismos, desde las sílabas que refieren, por supuesto, a *palabras enteras,* o lo que es lo mismo, a *ideas;* pero en este clima de ambigüedad en que nos las encierran no son del todo reconocibles, son sólo meras alusiones, y nuestra comprensión jamás será matemática, racional ni exacta. Será de otra manera. Algunos dicen que esa manera es la específicamente literaria, de tal modo que esto sería una especie de "literatura no figurativa".

Bustrófedon personifica, pues, una manera de escribir. La del sinsentido, la del "pum" y *el calembour.* Pero además, decíamos al principio, en este personaje está la *teoría del autor,* de Cabrera Infante, y con ella la teoría que Cabrera tiene sobre el fenómeno de la creación literaria. Al Bustrófedon lo presenta, como autor también, el amigo fiel que las recogió, aquel "anónimo escriba de jeroglíficos actuales" que es Códac, el fotógrafo.

Dice Códac: "Pero si los juegos (de palabras) se perdieron, los dicharachos como decía la madre de Cassalis, y yo no sé repetirlos, no quiero olvidar (...); sus parodias, aquellas que grabamos en casa de Cué, que grabó Arsenio mejor dicho, y luego yo copié, y nunca quise devolver a Bustrófedon".

Y las parodias son, por supuesto, ese libro, *La muerte de Trotski referida por varios escritores cubanos años después o antes,* que entronca a Bustrófedon con toda la temática de la mentira, la muerte y la traición en literatura, que veíamos cómo eran centrales en el tema de la novela. Además, sigue Códac, "No escribió de veras más nada, Bustrófedon, si descontamos las memorias que dejó bajo la cama con un orinal como pisapapeles. Silvestre me las regaló y aquí van, sin quitar punto ni coma. Creo que de alguna manera (para hablar como S.) son importantes".

Hay que tener en cuenta que Silvestre es el verdadero escritor, el que escribe la clave definitiva de esta novela que es la "Bachata". Pues bien, de estas "MEMORIAS", escojo un fragmento cualquiera:

"¿Una broma? ¿Y qué otra cosa si no fue la vida de B.? ¿Una broma? ¿Una broma dentro de una broma? Entonces, caballeros, la cosa es seria." Efectivamente, la cosa es seria. Como todo en esta novela. Porque Bustrófedon, el que era capaz de escribir, de hablar una línea de izquierda a derecha y/pero la siguiente de derecha a izquierda, deja sus *"revelaciones"* en blanco. El, que "puede hacer de dos palabras y cuatro letras una canción y un chiste y un himno". Y cuando hace literatura, *no la escribe,* sino la graba, y no original sino parodiando y consiguiendo y desfirmándose en los estilos de los cubanos cumbres, los siete cubanos cumbres.

Hay una inmensa burla y un intento de desacralización en estas parodias. La que va a resultar pieza bastante clave en el desarrollo del tema de esta novela —la función de la traición a nivel vital-real y la traición literaria— resulta ser obra de Bustrófedon, conservada contra su voluntad, pero al fin muestra —junto a esas memorias vacías— de lo que la literatura le significa.

El papel del escritor, parece decir, está en callar. Mejor, en nombrar las cosas de manera diferente, pero en la vida, en el cada día. Es hacer lo que él, de nuevo en palabras de Códac, él que "era una termita que atacaba a los andamios de la torre antes que se pensara en levantarla, porque destruían todos los días el español, diciendo (...) sotificado y esóctico, y dezlenable o decir que él tenía asexo a las interioridades de un asunto o quejarse de que no comprendían en Cuba su *apestoso* humor y consolarse con que sería alabado en el extranjero o en el futuro. Porque nadie, decía, es mofeta en su tierra".

Lo de Bustrófedon parece lo del MORELLI de

--¿quieres una mortaja de lino?

--¿Novás Calvo?

--No, de hilo. O en todo caso, de Linos.

--No pienso morir de nuevo esta noche. Grazie tante, aniway.

--Considéralo una compañía para tu eternidad, que te vas solo a tu casa.

--Mi viejo, es que te olvidas del Viejo.

--¿El Viejo y el Mar?

--Le Vieux Marx, aquel que dijo que le vrai neant ne se peut ni sentir ni pensar. Mucho menos comunicar.

--Quel salaud; Ese es el Gran Contradictadorio.

Haló el freno de mano y se volvió a medias hacia mí movido por la inercia. Que vivía en el espacio exterior y ni la gravedad ni la fricción ni la fuerza coriolis menguaban sus impulsos.

--Estás en un error.

Me acordé de Ingrid Bérgamo, la pobre, que creía que Bustrófedon, el pobre, decía bien cuando decía estás en un horror. Ingrid Moe, calva, con Irenita Curly, ésta de anoche y sus permanentes caseros y cuál de los gemelos tiene el Tony (sin saber que uno fue"Tony) y con Edith Cabell, doblemente pobre, con su Juana-Juanería de Arco y su pelado trapense, que podían ellas muy bien ser Curly, Larry, Moe, The Three Stoogs Las pobres. Los pobres. Todos. Nosotros pobres también. ¿Por qué no estaba Bustrófedon con los dos para ser tres? Mejor que no esté No entendería. No hay dibujitos. Nada más que sonidos y, tal vez, furia.

--¿Sí? ¿Con respecto a Sartre, el San Agustín del Tercer Milenio, tu Third Coming?

--No chicó no. Ni tampoco o amigo sino contigo.

--Wordswordworth.

¿O si entendería (Sound Aurtsofury) que estás en el cielo (santienfuriado) se tu (noundíre?)

--Vas a cometer el primer error verdaderamente irreparable de tu vida. Ese lo convocas tú. Los otros vendrán por su propio peso.

--¿Específico o neto?

--Estoy hablando en serio. Perfectamente en serio, terriblemente en serio

--mortalmente de cansancio en serio. Por favor, Arsenio, ¿quién va tomarnos a nosotros en serio a estas alturas?

--Nosotros mismos. Como los trapecistas. ¿Tú crees que hay trapecistas que se pregunte, en el aire, haciendo un doble o triple salto mortal, Soy yo serio o Por qué estoy haciendo estas cabriolas inútiles

Manuscrito de *Tres Tristes Tigres* (versión final, Madrid 1966).
El primer manuscrito de TTT se perdió entre Bélgica y España.

Rayuela, pero más radical. Aquél, tan filósofo y tan *escritor,* al fin y al cabo deja sus notas escritas en papeles amarillos, en recibos de lavanderías o en papel de "servicio", pero las deja a mano para que Cortázar pueda publicárselas. Bustrófedon, siguiendo el sabio consejo de Baudelaire, no escribe. Se calla. Se va a la isla, por esta vez tan cerca, y ya desde el principio, sin temporadas en el infierno, pero aprendiendo bien la lección, no escribe. (Las grabaciones las conservamos gracias a la cabezonería de Códac, un sentimental que las quiso guardar en su tesoro "entre los negativos de una negra memorable, (...) una o dos cartas que no tienen otra importancia que la que tuvieron entonces y el telegrama del estribo de Amapola del Campo, dios mío qué seudónimo, el telegrama un día azul y ahora amarillo que todavía dice en un español aprendido por radio: el tiempo y la distancia me hacen comprender que te he perdido: escribir eso, señores del jurado".

Bustrófedon no tiene por qué escribir, pero no porque no pueda (él es el amo de las palabras) sino porque la literatura que no es más que juego, ni más que lenguaje, la saca él cada noche cuando sale al 1900 o al San Yon o al Sierra. La literatura la lleva puesta, y la escritura, eso es otra cosa. Imagina que lo único que deja es la desmitificación de los grandes temas (épicos: el asesinato de Trotski) y de las grandes figuras literarias (Martí, Carpentier, Lino Novás, Lezama Lima, Guillén...).

Entre las parodias y los visitantes, la literatura queda en entredicho. Por un lado, la visión que pueda dar queda desgajada de toda la fe ingenua que se le pudiera conceder. La obra dará la visión del autor y sólo ésta, sin carismas de verdad. Es más, casi siempre mentira. Por otro lado, y esto es más importante, en su calco perfecto de los estilos de los autores (aun pensando que debajo de cada parodia existiera el esqueleto de una narración —o varias— de cada autor) parece destruir la idea del escritor adánico y original, al menos en el campo más difícil, en el que queda como reducto de lo particular de la creación: en el llamado "estilo".

Y ya en el silencio de sus reveladoras memorias, del entredicho pasa a la afirmación del *escritor silencioso,* pero que se reserva, por supuesto, el derecho a la palabra. A la palabra viva. El libro, ese que quiso Mallarmé, descambiable, recomenzable, abrible y no encuadernado, abierto, se da realmente en la vida de los palabradores. Y la escritura lo niega, porque el lenguaje —la literatura— son sonidos. Y la escritura, de hecho, grafía y silencio. Es significativa, siguiendo con la teoría del autor, pero saliéndonos de Bustrófedon, la postura de Silvestre, o mejor, su educación: Silvestre y su hermano (?) cambian la literatura por el cine: venden la biblioteca de su padre, poco a poco, para poder seguir ese interminable camino de Santafé, el que les lleva a las imágenes vivas y *sonoras.* Y el cine llenará de alusiones y de imágenes las historias que cuenta el único de estos escritores fracasados que, con más o menos mala pata, continúa en el intento. En cuanto a Arsen, el verdadero capitán Ahab —o tal vez Nemo— de esta novela, el de las alusiones literarias y los fracasos musicales —pero esa extraña sensibilidad para lo sensible, para los sentidos, y esa extraña contestación-continuación a/de Proust en cuanto al tiempo, no escribe porque: "Me preguntas a menudo por qué no escribo. Te puedo decir que porque no tengo sentido de la historia. *Me cuesta el esfuerzo de un día entero pensar en el siguiente*. Jamás podré decir, imitando a Stendhal, seré leído hacia 2085, (...) Domani e troppo tardi. Además, no siendo ninguna veneración ni por Proust (dijo claramente Prú), ni por James Joyce (Cué pronunció Shame Choice), ni por Kafka (sonaba Kaka en su voz bien cuidada), Trinidad Santísima sin adorar la cual parece imposible escribir en el Siglo XX, y como no podré escribir en el siglo XXI".

Y además, sobre todo, los números. La cábala. En palabras del poeta español Antonio Martínez Sarrión: "Estoy obsesionado con modelos que no me dejan escribir".

Pero antes que nada, y ya para siempre, B. es un mito: Es la reencarnación por contraposición, y sólo literaria, del Verbo, del No-Verbo. Su muerte marca el tiempo, en este cosmos de orden propio que es la novela, como el Verbo marcó el tiempo —antes y después, *desde después*— de la historia. A su muerte, su Palabra queda viva recogida por los Apóstoles y los seguidores Huérfanos. El nonsense de B. quedará recogido también por ellos, los tigres. Pero si lo esencial del Cristo es la Palabra —y no la escritura—, lo esencial del Bustro tampoco será la escritura sino la NO PALABRA, la palabra en ruptura, la palabra en desorden, el sinsentido. Contradice la orden evangélica: seguid el espíritu de la Escritura, no la letra, para seguir sólo la letra o ni siquiera, para seguir sólo el sonido. Y sobre todo, la Palabra pierde en

Bustrófedon su carácter de activa, de actuadora, de operativa, para quedarse en mera presencia, en juego, en existencia por sí misma, y ella sola se sustenta. No tiene, desde luego, ningún poder salvador. El único poder que tiene es el de destruirse a sí misma y a todo lo que contamina. Por último, todas estas posiciones que decíamos son las que marcan las bases de la estética de la obra abierta, y desde luego, la manera creadora de *Tres Tristes Tigres;* pero esta vez aparecen personificadas, hechas personaje en la piel de B., que es desde el principio su totalización.

El mito de B., decíamos, es paralelo al de La Estrella, no sólo porque lo narra el mismo "transcriptor de *jeroglíficos* actuales" sino porque el lenguaje pierde su significación ingenua *precisamente* en el mundo de La Estrella, en el mundo de la raza original y la naturaleza vencida. Este lenguaje, que aparece también destruido, será resuelto, también en su personaje, con la muerte y la derrota. Esta muerte que hace al Bustro ser el Gran Derrotado, y que, por fin, es el motivo fundamental de su permanencia, marca un nuevo paralelo con el Verbo Encarnado, sólo que esta vez, gozando del absurdo de *cualquier muerte,* lleva el paralelo hasta el final: si es la Palabra la que determina la muerte de Jesús, será la no-palabra la que lleve al final al B. Esta misma capacidad casi milagrosa de Bustrófedon será resuelta en la malformación de su cerebro, en la distinción definitiva de los demás mortales. Es este cerebro "mal hecho" el que le hacía decir esas maravillas, pero ahora ya no importa, la ciencia, los médicos, esos *pedantes elefantinos,* no pueden volver atrás el misterio, porque aunque Bustrófedon esté muerto, *la palabra ya ha sido dicha.*

HABLA CABRERA INFANTE:
UNA LARGA ENTREVISTA
QUE ES UNA POETICA

"Yo soy escritor y me gusta escribir. Prefiero decir lo que quiero decir por escrito, a contestar una entrevista hablando." Esta fue la coartada de Guillermo Cabrera Infante para que lo que sigue no se hiciera a base de magnetófono en su casa londinense, y sí se hiciera, en cambio, tras el envío de un cuestionario, desde su smith-corona y su despacho que mira esos arcos fantasmales.

Una entrevista con cuestionario tiene siempre algo de quieta, de muerta, que no tiene la que se ha hecho *en vivo*. Pero en este caso, creo, hemos ganado todos: su extraordinaria longitud, gracias a la versatilidad de Cabrera Infante y a su rigor al contestar de modo exhaustivo, sin devolver balones fuera, todas y cada una de las preguntas del largo cuestionario que le envié, no hubiera sido posible de otro modo. Y sobre todo, el estilo particularísimo de Guillermo Cabrera se hubiera perdido aun en el caso de una transcripción literal y exacta. O sobre todo en ese caso, porque, en este ambiente de traduciones que son traiciones, ya se sabe que nada traiciona tanto a la palabra como la escritura. Aunque Cabrera, en concreto, sea un ejemplo de lo contrario, yo sospecho que no.

El resultado es lo que sigue: un texto cortado por

preguntas y respuestas, donde las preguntas son, fundamentalmente, temas amplios y las respuestas auténticas lecciones de cómo tratarlos, en los que se habla de literatura, de cine y de Cabrera Infante. Lo cierra un texto absolutamente milagroso: aquel en que Cabrera Infante se zambuye en lo sobrenatural, y habla de ritos y de animales, de creencias y de amores. Por este texto simplemente, a mí me hubiera merecido ya la pena trabajar este libro.

—Tu historia personal la sintetizas tú mismo en la cronología que se publica en este libro, mejor que nadie. Pero ¿cómo ha intervenido tu vida en tu literatura —o mejor, en tus literaturas? Y, ¿cómo interviene, en general —o cómo se relacionan— la vida y la literatura?

—Mi vida ha sido en el pasado *fons et origo* de mi literatura y cada vez se funden, se confunden más una y otra, aunque yo repudie con respecto a TTT establecer demasiado estrecha relación entre la literatura, este libro, y la autobiografía, es decir el relato de mi vida. Sin embargo, ahora estoy haciendo autobiografía, pero confío que el lector inteligente (el lector que uno siempre espera) sepa apreciar dónde el mero relato autobiográfico se hace literatura. La vida es, por supuesto, mayor que la literatura, pero la intensidad de la literatura, su densidad, hacen que la vida parezca un pálido reflejo. En el pasado (es ésta una manía de la que me he curado) siempre estaba pensando en cómo determinado momento vivido podría ser recordado en el futuro, pero recordado para la literatura, como ese instante se estaba haciendo literario al tiempo que se realizaba. Más que mi obra entonces (que era mínima y efímera aunque he tratado de preservarla por todos los medios), estos momentos me convertían en un escritor. No es posible el escritor sin éste ver la vida como único alimento de la literatura —aun la literatura más fantástica tiene este motor y este lastre—. Un autor japonés pedía recobrar para la literatura el mundo de sombras que es la vida—, ¿pero qué hacer con la vida luminosa?

—*Así en la paz,* incluso TTT, admiten y casi exigen una lectura política. Quizá, la última redacción de *Vista del amanecer en el Trópico* haya cambiado su sentido político, al tiempo que cambió tu propia relación con la Revolución cubana. La primera pregunta sería que cómo explicas esto. La segunda, cuál es para ti la relación entre literatura y política.

—*Así en la paz como en la guerra* es un libro que se publicó demasiado tarde, en 1960. Concebido como un libro político para un momento político, 1958, en que hubiera vibrado, siendo vivo, polémico y hasta peligroso, hubo algo de anticlímax en su publicación, resultaba incluso oportunista: era demasiado fácil castigar la tiranía cuando el tirano había huido. TTT resultaba un libro político por su ausencia de política: las pocas referencias políticas: aludir a la dictadura de Batista de soslayo, llamar a Fidel Castro un fiasco, sólo reflejaban que el libro ocurría argumentalmente en 1958, pero su escritura se hacía en 1965. Pero de veras hay pocos libros más apolíticos en América Latina. Aunque por supuesto siempre es posible una lectura política, todas las lecturas son posibles en la literatura, es la escritura la que es única. *Vista del amanecer en el Trópico,* como todo el mundo sabe, es uno de los títulos temporales de TTT, pero ahora es el título de una devaluación de la historia (la Historia convertida en historia) de Cuba, desde la creación geográfica de la isla hasta los años sesenta, de la aparición de la isla en la historia hasta su proyección en la eternidad geográfica de nuevo, de donde surgió. Mi desilusión con la tiranía castrista (o si se prefiere con la traición de la Revolución) comenzó mucho antes de la escritura de la primera versión de *Vista* (aun cuando ésta iba a formar parte junto con un mundo que le es ajeno, el mundo de TTT), ya cuando coleccioné mis críticas de cine en La Habana, en 1961-1962, y le antepuse un prólogo en que el crítico moría extrañamente, esa muerte era la del espíritu político del autor. La sentencia de muerte se dictó en las infames *Conversaciones en la Biblioteca Nacional,* en junio de 1961, y se ejecutó en octubre de ese mismo año, cuando se prohibió la publicación del *magazine Lunes,* una de las pocas empresas del espíritu de libertad por la literatura que hubo jamás en Cuba. No es un milagro que *Lunes* sobreviviera por tres años, el milagro estuvo en su misma creación. La política en ejercicio es un mero oportunismo en función: ajeno a la literatura por tanto, que siempre tiende a una forma de perennidad, aun en sus formas más perecederas. Si uno piensa en la cantidad de literatura que se ha hecho como mero entretenimiento (del *Satiricón* —entretenimiento para Nerón— hasta los *comics* —entretenimiento para niños—) y que ha durado siglos, vencida la falibilidad de los medios de reproducción, la enemiga de la Iglesia o el carácter meramente efímero; y sin embargo ahí al lado, entre mis anaqueles, están la novela de Petronio y *Los célebres casos de Dick Tracy,* en la misma biblioteca; cuando se reflexiona en esta relación estrecha entre lo efímero y lo perenne uno no puede menos que admirarse de la duración de la literatura. Muchas veces se ha dicho, se ha repetido, que la política avasallante en su tiempo de güelfos y gibelinos ha desaparecido, está olvidada, mientras la *Divina comedia* permanecerá para siempre, venciendo al mismo simbolismo teológico que la informa. Sin embargo, esa analogía es verdadera. En cuanto a la política en forma de libros (*Das Kapital, Mein Kampf, La historia me absolverá)* es otra rama de la literatura, como la épica o el cuento, y como tal hay que juzgarla. De los citados arriba, es evidente que Marx es el mejor escritor, que se permite lo que los otros dos ni siquiera imaginan: el humor. Pero por supuesto, Marx no era un tirano.

—*En toda tu obra, hasta en los artículos de prensa, hay una preocupación fundamental: el lenguaje.*

—Toda literatura está hecha de lenguaje. El lenguaje estaba antes que siquiera se sospechara la literatura y seguirá después que ésta sea olvidada. ¿Cómo no preocuparse por una forma de eternidad?

—*La pregunta, ahora, sería quizá demasiado amplia: ¿Qué es literatura?*

– La respuesta aparece como un axioma o una broma (en realidad, ambos son intercambiables) en mis *Exorcismos*. Pero la persona que intentó responder a esa pregunta en serio creó tal caos en la literatura, que mejor es no imitarla y optar por el silencio. Esa persona es por supuesto Jean Paul Sartre.

—*Se han hecho muchas lecturas de* Tres Tristes Tigres. *¿Qué lectura haces tú, o prefieres?*

—Una vez dije que la única lectura posible de TTT era la de una broma que dura quinientas páginas. Cometí un error: puse demasiadas páginas. Esa lectura debía ser hecha por alguien que hubiera estado paseando por La Rampa, en El Vedado, La Habana, Cuba, la noche del 5 de agosto de 1958. Que haya otros lectores, otras lecturas posibles, ha sido siempre fuente de mi asombro.

—*Así que* tigre *es el equivalente amistoso de los españoles* macho *o* tío, *más reciente. Y así, otras bromas que llenan el libro. ¿Qué es el humor? ¿Dónde lo has puesto?; y sobre todo, ¿por qué?*

—En mi pueblo sustituían al tigre por otra fiera y se saludaban: "¿Y qué, pantera?" Así, al llegar a La Habana y encontrarme con el saludo: "¿Qué pasa, tigre?", me sentí identificado con este llamado tanto como con el trabalenguas. Los dos más importantes disecadores del humor, Bergson y Freud, para hacer su labor tuvieron antes que matarlo. Detesto las definiciones. Será por eso que al tratar de definir la libertad conseguí la clase de humor en que el autor es risible, el humor impensado. Puedo decir, sin embargo, que uno de los escritores más llenos de humor, Cervantes, no hubiera reconocido la palabra —aunque sí sus efectos—. El humor es una invención inglesa, hecha en el siglo XVIII por escritores que hoy no son nada humorísticos. El humor es como el *jazz* para Louis Armstrong, que dijo: "Si te tengo que decir lo que es, nunca lo sabrás". El humor no está siempre presente en mi obra. Al principio, por el contrario, me tomaba muy en serio, aunque hay humor —mejor sería decir ironía— en "Josefina, atiende a los señores", desde el título, que es una parodia de un *slogan* de un ortopédico habanero que decía: "Ortopedia Carrasco-Josefina atiende a las señoras". Mi sentido del humor se desarrolló con las críticas de cine: algunas películas eran tan malas que la única crítica posible era reírse de ellas. Después apareció en cuentos como "Jazz" y "Cuando se estudia gramática", que escribí en 1958. Pero mi verdadero primer intento de hacer reír con la escritura, tanto el tono como el estilo, aparece en "El retrato del crítico cuando Caín", el prólogo de *Un oficio del Siglo XX,* escrito en 1961, en circunstancias en que la única respuesta cuerda a la realidad era la risa. Luego el intermedio y el epílogo de ese libro y las notas (y sobre todo el Indice Gelardino, que poca gente ha notado que no es un índice sino una burla a los índices, que allí se indica todo pero con los números de páginas equivocados, el índice compuesto no por Caín, por supuesto, ni por mí, sino por un loco llamado Gelardino —que puede ser considerado como otro álter ego del autor—) fueron escritos con una intención humorística. En TTT aparece en todo el libro, aun en los momentos más serios o más trágicos, como las sesiones psiquiátricas o a la muerte de Bustrófedon, que es como la muerte de la literatura pero no del humor. No se puede decir que haya mucho humor en *Vista,* tal vez porque la escritura final del libro ocurrió poco después de haber estado yo loco —y ya se sabe que los locos, como los tiranos, no tienen sentido del humor—. Pero aun aquí, por entre los resquicios de la paranoia o sobreviviendo al antiguo texto compuesto en Bruselas en 1963, hay

momentos de humor, tal vez de un humor negro
—si no, ¿cómo entender la partida de ajedrez
guerrillera descrita como la planificación de una
próxima batalla?—. Mi último libro publicado,
Exorcismos de esti(l)o, no se entiende si no se lo lee
con sentido del humor —es decir, o es humor o no
tiene sentido—. Aunque tal vez esta última opción sea
la verdadera.

Decir por qué he puesto el humor entre las obras
citadas más arriba tomaría un espacio excesivo y creo
que las respuestas dadas explican por qué. En *Un ofi-*
cio, el humor era una defensa de un mundo que no tole-
ra la crítica: matando al crítico cuando me era tan
querido y al mismo tiempo tratando de no llorar para
que no tomaran las lágrimas por un gesto activo o pasivo de subversión, diciendo que vieran que esas
lágrimas eran de risa. En TTT recreando el humor
vernáculo que desaparecía, ese choteo tan execrado
pero que era una de las esencias cubanas. Al mismo
tiempo salvando el amor (en el que creo) por el humor
(por el que juro) y, sobre todo, divirtiéndome con las
posibilidades de comicidad que hay en las palabras,
en las frases, en el lenguaje. También hay allí algunas
verdades que pensaba que no se podían decir si no era
con humor, como protesta Arsenio Cué alegando que
en Cuba no se podía decir la verdad si no era por
medio de una broma. Esto está mejor expresado en
una frase que creé en inglés: *Extracting truth with*
laughing gas, que quiere decir sacar la verdad con gas
hilarante, pero que juega con el parecido entre las
palabras *truth* (verdad) y *tooth* (diente) y el hecho de
que algunos dentistas usan gas hilarante para sacar
muelas. En cuanto a *Exorcismos,* tuve la intención,
desde que comencé ese libro en Bruselas en 1964, de

fue traducir del inglés textos del periódico comunista
Daily Worker para el *magazine* del periódico comunista cubano *Hoy*. Era 1946, tenía apenas dieciséis
años y acababa de terminar mis estudios de inglés. De
más está decir que esa traducción debió ser una traición ejemplar. *Finnegan Wake* (Joyce se horrorizaba
cuando alguien incluía el apóstrofo, que él había eliminado para añadir ambigüedad de significado) me
ha sido propuesto, en diversas ocasiones y por varios
editores. Nunca he aceptado, por supuesto, ya que se
trata del trabajo de un Hércules literario. Ese libro es
perfectamente intraducible. No debiera serlo, ya que
en principio no existe la literatura intraducible, solamente existe una pérdida de valor en la traducción —y
esto ocurre con toda literatura, aun en el caso de obras
que ganan con la traducción, como Baudelaire traduciendo las *Historias extraordinarias* o Borges traduciendo *Las palmeras salvajes* (aún insistiendo: en ese
mismo título hay en inglés un doble sentido, ya que
wild significa salvaje, pero más corrientemente silvestre)—. Pero *Finnegans Wake* es un libro ilegible.
Confieso que he leído muy pocas de sus páginas.
Nabokov no llegó a terminarlo. Aun sus lectores más
atentos (como Anthony Burgess, que pretendía que lo
estaba traduciendo al italiano) necesitan demasiadas
claves para llegar a entender los centenares de miles de
puns, en varios idiomas, de los que Joyce sólo
dominaba unos pocos: hay, por ejemplo, paranoma-
sias que incluyen términos persas. Para mí ese libro es
un callejón sin salida, aun como lectura, sin tener que
imaginar la enormidad de una traducción.

Tuve las mayores dificultades, como es de
presumir, con términos irlandeses. Algunos ni siquiera nuestro limpiaventanas, que lleva el muy irlan-

dés nombre de Paddy y es de Dublín, sabía lo que
querían decir: lo había olvidado o bien nunca lo supo.
Joyce, por otra parte, era un exiliado que escribía en
inglés con acento irlandés, más certeramente de
Dublín, como bien lo declara el libro, y yo, un exilado
que escribía en español con acento cubano, más bien
habanero, estuve obligado a buscar equivalencias dia-
lectales. Así *Dublineses,* en partes, está escrito en
cubano, equilibrando a *Dubliners,* que en partes está
escrito con un acento de Dublín. No pude, lamen-
tablemente, ofrecer equivalencias a los nombres
propios que usó Joyce a lo largo del libro, escogidos
sabiamente del Dublín vernáculo, método que llevó a
la perfección en su obra maestra, *Ulises.* Las otras
dificultades fueron de tiempo: me demoré demasiado
en acabar la traducción y hay un poco de precipita-
ción en algunos cuentos. Por otra parte, de haber
hecho la traducción ahora no habría cometido dos o
tres errores que yo me sé. Pero en cinco años vería que
había cometido otros, tal vez mayores. Es por
supuesto el cuento de nunca acabar, que no ocurre
solamente en la traducción, también pasa en la
escritura.

Hay que repetir el cansado adagio de que toda traducción es una lectura atenta, pero toda lectura es una
forma de traducción. Escribir es traducir del lenguaje
a la escritura. No hay diferencia entre una traducción
y una lectura, excepto en el tiempo que toman una y
otra. Yo, que soy un lector lento, un relector (a
menudo del mismo texto que estoy leyendo, tal vez
por distracción, o para confirmar la lectura), soy
un traductor constante, no sólo de textos en otro
idioma (leo, por ejemplo, infinitamente más en inglés
que en español), en que comparo cómo se diría un de-

terminado pasaje, una frase, una palabra en otro idioma, sino que me sorprendo haciendo una labor inversa: tratando de saber cómo resultaría la traducción al inglés de un texto en español. Las infinitas traducciones (algunas capitales para toda una literatura, como la Biblia en la llamada versión del rey Jacobo) obligarían a admitir que la traducción es posible, pero siempre interrumpe esa felicidad el proverbio italiano que adopté como punto final en TTT: *Traduttore, traditore,* convertido allí en una sola palabra que hace del sueño pesadilla: *Tradittore.* Hay un ejemplo eminente: Nabokov (cuya obra es una continua traducción de su pensamiento en ruso al inglés escrito) quejándose de la pobreza de su literatura escrita en inglés en comparación con sus posibilidades en ruso. Esta posibilidad era una mera ilusión: hay una imposibilidad cierta de la escritura. Los escritores no hacemos más que imaginarnos que la estamos venciendo al escribir. Pero cada libro, cada párrafo, cada frase es una victoria pírrica.

—*Releo, y veo que tengo una errata hermosa: tradición por traducción. Pero: ¿en qué tradiciones se inscribe tu escritura —si es que se inscribe en alguna?*

—Hay una tradición en que creo insertarme más que inscribirme, casi colado, que es la de la traducción (casi revierto a la pregunta anterior) de la literatura anglosajona en español. Si bien es cierto que empecé a escribir haciendo una parodia de un escritor alejado de esa tradición (el lamentable Miguel Angel Asturias), mis lecturas entonces eran novelas o cuentos americanos (Poe, Fraulkner, Anderson) y obras inglesas (Shakespeare, Conrad), sin que hubiera leído, más que obligado en el bachillerato, la literatura clásica española. Es obvio que sin la existencia de Lewis Carroll, TTT sería un libro diferente, pero hay otros escritores menores ingleses (como Max Beerbohm, de quien aprendí el arte de la parodia) que informan mi libro. Ya antes, en *Un oficio,* estaba la influencia de ciertos humoristas americanos y Borges, que es volver a la literatura anglosajona. La reconstrucción del habla de los cubanos debe más a Mark Twain, por ejemplo, o a Erskine Caldwell y a Hemingway, que a los escritores cubanos de la generación anterior que usaban el habla popular, como Lino Novas Calvo —que a su vez estuvo poderosamente influido por la literatura norteamericana—. Hay una posible tradición latinoamericana de escritores influidos por la literatura inglesa (Bioy Casares, Silvina Ocampo), pero a ésos, aunque pueden ser mis padres, los vine a descubrir el otro día. En cuanto a escritores cubanos como Lezama Lima (influido por Martí, por Góngora) o Virgilio Piñera (influido por la literatura francesa), no les debo absolutamente nada.

—*Y ¿cuál es para ti la unión entre tradición literaria y novedad?*

—No existe la novedad sin una tradición que la soporte. Fue Ramón Gómez de la Serna quien dijo que lo nuevo surgía del cansancio de las formas. También podría haber dicho que la novedad era una necesidad impuesta por la tradición. Esto es en seguida aparente en escritores tan novedosos como Joyce y Proust, los dos seguidores de tradiciones que llegan a las mismas raíces de la literatura inglesa y francesa. Proust estaba dispuesto a admitirlo siempre, es visible en su obra. *Ulises,* más que de Homero trata de Shakespeare. Un movimiento dedicado a lo novedoso, el surrealista, redescubrió las más invisibles raíces.

—*Hablando de tradiciones, ¿cuáles son los grandes monstruos —son tus palabras— de tu santoral literario? Los que te han enseñado cosas. Los que no te han enseñado nada. A los que quieres sin admirar.*

—Le tengo más miedo a la repetición que a la acusación de pedantería o presunción. Esta lista, porque sería una lista, estaría repitiendo los nombres mencionados más arriba. Está primero que nadie, no sólo porque él de verdad es el primero, sino porque sin la existencia de su obra, sin su creación de un viajero que vuelve a casa para ser reconocido sólo por su perro (y fue la fidelidad del perro lo que me tocó), tal vez nunca me habría interesado en la literatura, este número uno es en realidad el padre de la literatura, padre no sólo de la poesía épica, sino del teatro y de la novela, Homero, aunque al revés de muchos especialistas (o quizá por esto mismo) admiro menos *La Ilíada* que *La Odisea,* que originó, entre decenas de obras, *El satiricón* y *Ulises.* Está, por supuesto, Petronio. Después hay un salto violento porque no me interesan nada la teología ni la filosofía. Hasta Dante no encuentro nadie a quien admirar (con la posible excepción de Beroul y su admirable romance de *Tristán e Isolda*, una de mis leyendas favoritas, pero el descubrimiento de Beroul es reciente), y Dante aparece brevemente aludido en TTT tres veces, como es aludido más extensamente en *Apocalipsis*, cuyo autor no admiro. Están por supuesto Boccaccio y Don Juan Manuel, porque una vez me especialicé en leer cuentos. Está Chaucer, pero ésta es una adquisición reciente, aunque mucho más importante que el cuentista español. Marlowe y, por supuesto, Shakespeare. Marlowe conocido realmente ahora, Shakespeare estuvo entre mis primeras lecturas, en una curiosa versión española de un escocés de Madrid que traducía la famosa frase de lady Macbeth "la leche de la bondad humana" como "el lácteo jugo de humanal clemencia". Ese traductor excepcional se llamó Guillermo McPherson, compartiendo conmigo el nombre y la pasión desbordada por el "cisne de Avon". Cervantes es una admiración renovada cada año, con cada nueva lectura del *Quijote:* es el más moderno de los españoles de todos los tiempos. No inventó la novela, pero le dio un impulso que dura todavía. Dando un ligero salto atrás tengo que admitir una admiración pareja a la de Cervantes y Shakespeare en Rabelais: es imposible de imitar pero es una tentación imitarlo. Su genio paródico es superior al de Shakespeare y al de Cervantes. Tengo que saltar al siglo XVIII inglés para encontrar un escritor que me interese tanto como Cervantes y Rabelais —se llama Laurence Sterne, autor no sólo de esa deslumbrante obra maestra, *Tristram,* en la que se crea el monólogo interior, *Shandy,* sino de esa deliciosa crónica autobiográfica, *Un viaje sentimental.* Después está Jane Austen. Está Stendhal, más grande en sus escritos autobiográficos tal vez que en sus novelas. Dickens es quizá el autor inglés más respetado después de Shakespeare. Un nuevo encuentro con sus novelas convierte ese respeto en admiración. Flaubert es tan esencial a la literatura moderna como Mallarmé. Lewis Carroll es admirable por lo mucho que creó con tan pocos elementos. No hay más que pensar que en un momento de *A través*

ginado en Miami--si es que algo podia tener su origen en esa
ciudad ~~de la que conoceria solamente un año mas tarde nada mas
que su aeropuerto asfixiante~~. Ahora la atmosfera de la sala de
la casa de la hermana de Margarita (hay demasiados des en esa
frase pero asi eran de sucesivas las posesiones) prefiguraba
ese edificio miamense donde de seguro habria sillones como
~~estos~~, cuadros como aquellos, sofá como este, ~~donde~~ vino
Margarita a sentarse a mi lado con dos vasos en la mano.

--Vaya--me dijo entregandome uno de los vasos, --aqui tienes
mi sorpresa.

Mi sorpresa fue grande pero no tan grande como cuando Ju-
lia ~~todavia no Julieta,~~ me entrego el delgado volumen de poemas de Eliot y pronuncio su toma lee, ~~que~~ ahora ~~oir~~ un toma
bebe.

--¿A que no adivinas que es?

No tenia la menor idea. Se lo dije.

--Pruebalo--me conminó.

~~Lo~~ probe. Sabia a alcohol fuerte, un poco amargo.

--¿No sabes todavia?

~~xxxxxxxx~~

--Un trago.

--Si, ¿pero que trago?

--No tengo la menor idea.

--Sabia que no ibas a adivinar. Es un Margarita. Me tome
el trabajo de conseguir la tequila y los otros ingredientes.
Todo para ti. Bebe un poco.

Le hice caso.

--¿Te gusta?

¿Que le iba a decir? Le dije que si.

--Sabia que te iba a gustar. Es mi trago preferido y se
llama como yo. ¿No te parece perfecto?

Era evidente que le gustaban las simetrias. Yo odiaria
una bebida que tuviera mi nombre, aunque por otra parte
yo no escogi mi nombre y lo detesto.

--Bebe, que hay mas.

«Manuscrito de un libro actual (llamarlo obra en progreso sería
una pedantería), de título oculto. (Londres, 1975-1978).»
GCI.

del espejo está todo el fundamento de *Finnegans Wake*. Está Mark Twain, tal vez el más grande escritor natural en lengua inglesa: nada ni nadie le enseñó lo que sabía. Melville, que convirtió la noción del mal bíblico en pura literatura. Henry James, a quien es imposible no admirar. Conrad, que logró el milagro de transformar la novela inglesa sin poseer la herencia del idioma inglés: uno se asombra actualmente de los logros estilísticos de Nabokov, pero tiende a olvidarse de la hazaña de Conrad, quien solo, sin la ayuda de instituciones, usó el idioma no como una lengua adquirida sino como un lenguaje que le era propio. Ford Madox Ford, que consiguió con un solo libro, *The Good Soldier,* lo que costó a Henry James toda una obra. James Joyce, por supuesto, pero a quien antes consideraba una literatura y ahora tiendo a pensar como un escritor con un solo libro, como Cervantes —¡pero qué libro!—, Marcel Proust, culminación y fin de toda una literatura. Hemingway, no el maestro que él se creía pero un asombroso aprendiz. Dashiell Hammett, que renovó todo un género (lo que me hace recordar al creador de ese género: Poe) casi sin proponérselo. Raymond Chandler, uno de los escritores que más releo, a quien hay un homenaje y de quien hay un préstamo en TTT, prominente en el libro. Nabokov, a pesar de sus últimos libros, tan flojos. Jorge Luis Borges, que sigue escribiendo de modo maestro cuando la mayoría de los escritores (y de los hombres) están en la senilidad.

Los que quiero sin admirar resultan ser escritores policiales: Conan Doyle (admiro mucho a Sherlock Holmes pero no a su creador), Agatha Christie, con sus misterios sin desvelo. Hay un escritor a quien quiero mucho pero admiro poco: Maupassant. Más discernibles son los que admiro pero no quiero: Faulkner, Gogol —lo que me hace recordar de que a pesar de haber recurrido al uso nemotécnico de la lista cronológica me olvidé de los rusos: Turgueniev, Chejov, Tolstoy, cuyas grandes novelas es imposible no admirar, mientras los dos primeros fueron mis maestros en mis tiempos de cuentista. Hay varios grandes monstruos que ni me gustan ni admiro, escritores como Balzac y Dostoievsky. Debe de haber otros, estoy seguro que los hay, pero la lista se hace ya interminable, que no lo es mi paciencia.

—*En tus últimos libros (¿cómo los defines?) tengo la impresión de que tratas de hacerte con la nueva tierra, con el mundo de tu exilio y sus formas de vida. Bruselas o Londres. Pero casi siempre escoges temas marginales, y pienso en Chelsea en decadencia, en la fotonovela, en la homosexualidad y otros pop. ¿Por qué?*

—Mis últimos libros son *Vista del amanecer en el Trópico*, *O* (que algunos llaman *Cero*), y *Exorcismos de esti(l)o*. No pueden ser más diferentes, por lo que una definición para los tres no serviría. *Vista* es un libro trágico en su visión particular de Cuba y su perspectiva de la historia: el hombre atrapado por la violencia, luchando contra ella con las armas de la violencia y volviendo a crear una nueva trampa de violencia. *O* es una colección de ensayos y artículos con una cronología personal como apéndice. *Exorcismos* quiere ser una sátira de la retórica y al mismo tiempo un *divertimento* estilístico. Este último libro y el primero fueron escritos mayormente en Bélgica,

pero sus temas son en general cubanos, aunque
reconozco que en *Exorcismos* hay elementos que no
pueden ser más que europeos, algunos concretamente
belgas, y hay un homenaje implícito a Raymond Queneau, el autor de ese texto mozartiano si los hay, *Ejercicios de estilo,* con los libros de *Alicia y Tristram
Shandy,* uno de los libros que me gustaría haber escrito. Los más marginales deben de ser los de *O,* en que
me convierto en cronista del Swinging London, vién-
dolo morir antes de haber muerto. Leo el índice de *O*
para encontrar los artículos o ensayos a la homosexualidad o a la fotonovela y no doy con ellos. Hay sí un
viejo ensayo sobre la pornografía velada de Corín Tellado (que para esta época debe ella de haber desvelado) y de un sexólogo español que es más bien un erotó-
mano. Otrosí: cierta insistencia en temas populares,
como es el concurso de Miss Mundo y, de nuevo, una
crónica sobre el Swinging London, escrita obviamente
antes que la aparente nota necrológica. Debes referirte
más a mis crónicas actuales que no están recogidas en
libro y que son ejercicios periodísticos, una forma de
literatura que me gusta particularmente, en las que
tuve mis comienzos literarios. (Debía decir, sin falsa
modestia, mis primeros éxitos de popularidad como
escritor, ya que los cuentos quedaban atrapados en la
lectura de minorías.) *O,* que tiene un carácter *pop,* ha
tenido más éxito como libro que *Vista* o *Exorcismos,*
y para mi sorpresa ha complacido a mucha gente que
yo esperaba que lo recibiera como una mera colección
de artículos y ensayos ya publicados —aunque hay
uno que otro ensayo—, artículos que fueron escritos
para el libro: "Obsceno", "Offenbach", "Formas de
poesía popular", "Onomástica", "Opiniones frag-
mentarias". Como se ve, la mayor parte del libro.

Tal vez haya entre ellos temas marginales, pero la experiencia que relato en "Obsceno" (mi prisión por haber publicado un cuento con malas palabras en inglés en La Habana en 1952) no fue, puedo jurarlo, marginal en el momento en que ocurrió. Más bien fue central, y esa ocurrencia hizo cambiar mi vida. Ofrenbach es mi gato, pero no es de ninguna manera marginal en el momento en que ocurrió. Más bien fue central, y esa ocurrencia hizo cambiar mi vida. Offenbach es mi gato, pero no es de ninguna manera recibir cartas y tarjetas postales a su nombre. Lo cierto es que no hay temas marginales, sólo autores marginales. La homosexualidad, por ejemplo (sobre la que no escribí en ninguno de mis libros), se convirtió en un tema central en la obra de Proust, para no mencionar más que su cronista más eminente. (También era prominente en la vida de un gran escritor que olvidé citar más arriba. Oscar Wilde: nunca se acaba el juego de enumerar grandes monstruos.)

—*Hay además, sobre todo en los ejercicios de Estío, eso, verdaderos ejercicios de estilo que, de todas maneras, creo que van más lejos que la cosa de la siesta que el otro nombre sugiere.*

—Es evidente que juegas con el título de mi librito, que es *Exorcismos de esti(l)o,* juego al que invito, por otra parte. Es nueva para mí la noción de que el título sugiera la idea de siesta. Creía que la valla del paréntesis impedía llegar a la noción de estío. El título es, como digo arriba, un homenaje a Quenau y una referencia que se me ocurrió, cuando ya tenía el libro compilado, un verano en Londres. Estaba en mi casa un joven escritor español y reaccionó vivamente al título, lo que me indicó que era acertado. (Ya él conocía algunos fragmentos: el libro fue compuesto en fragmentos, la mayor parte en la absurda casa de Krainem, en Bélgica. Otros fueron escritos en Londres. Hay uno, muy importante para mí porque trata de la relación entre el yo y la cópula, que fue escrito cuando ya *Exorcismos* estaba en pruebas de galera.) El libro tiene pretensiones (tal vez presunciones) de jugar con la literatura y al mismo tiempo establecer una relación entre la escritura y la metafísica, como otro juego posible. Esto se ha hecho en otras literaturas, por supuesto, pero muy poco en español. Los juegos metafísicos de Borges, por ejemplo, se hacen al nivel de narración, hay en ellos una relación entre metafísica y literatura establecida por el humor, pero Borges (que detesta la paranomasia y otros juegos verbales) nunca va más allá de una relación narrativa. Yo quería hacer ese juego, si se quiere, más íntimo, semántico, al nivel de la separación del lenguaje en sus componentes, jugando con los signos, con las representaciones de los signos, como son los diagramas de composición, por ejemplo. Esto lo habían hecho mucho antes los dadaístas, pero no lo había intentado en español una persona sola, no un movimiento. Así me alegró cuando un crítico mexicano, por demás perceptivo, dijo que yo estaba intentando una tarea que nunca la había hecho un escritor solo. Más que siesta yo quería conseguir desvelo. No es, por otra parte, un libro que yo escribiría ahora, pero me alegro de haberlo escrito.

—*Se dice que detestas la poesía.*

—Nada más lejos de la verdad. Sólo que no separo la poesía de la prosa. Quiero decir que poesía no significa verso. Ya el primero de los retóricos, Aristóteles, establecía que la poesía era ficción. Esa idea es mantenida en toda la antigüedad. En la Edad Media se decía que la poesía era ficticia y la retórica no dividía a la prosa de la poesía más que en sus categorías. No hay más que leer a Homero, a Virgilio y a Dante para ver que ellos narran por medio de la poesía. Lo mismo hace Shakespeare con su poesía dramática. Aun en el siglo XVIII se mantiene la noción de una poesía como ficción. Es solamente en el siglo XIX (siglo nefasto, que vio nacer la moral victoriana como ley de conducta totalitaria, el marxismo y la filosofía de Nietzsche y la música de Wagner, que a su vez originarían la ideología nazi, ese siglo XIX que creó las bases del estado totalitario) que se separan distintamente la prosa y la poesía, a pesar de Walt Whitman. Solamente en el siglo XX, claramente con Joyce, con su *Ulises,* es que se recobra parte del terreno perdido y son posibles novelas como *Pale Fire,* de Nabokov, en que es imposible separar la poesía de la prosa, el poema de la trama narrativa. Pero según siguen los escritores que escriben como si *Ulises* nunca hubiera tenido lugar, hay los poetas que se empeñan en cultivar su reducido jardín rimado —o sin rima—. Es cierto que leo poca poesía, pero eso se debe a la dificultad de encontrar lecturas poéticas que valgan la pena; pero uno de los libros que más releo son los poemas de Cavafy, extraordinariamente bien traducidos al español por Juan Ferraté, libro que está en mi cabecera. Leo más los poemas de Borges, por ejemplo, que sus cuentos, que nunca releo. No he leído *Paradiso,* pero leo a menudo los poemas de

Lezama, que me parece no sólo el mejor poeta cubano de todos los tiempos, sino que está entre los cinco poetas que han escrito mejor poesía en español en el siglo. A nadie que sea un amante fervoroso de Shakespeare, como lo soy, se le puede acusar de detestar la poesía, esa inmortal arte combinatoria que es su música.

—*Se dice también que la historia, cuando separaste* Vista... *de TTT, en vez de ser lineal y progresiva, se volvió circular y recurrente. Que niegas la idea de progreso.*

—Siempre he pensado que la historia es un caos concéntrico. Es cierto que en *Vista* aparece como recurrente pero también como una diosa sanguinaria, exigiendo sacrificios a cambio de vagas promesas de inmortalidad dudosa, porque la historia está contenida en la eternidad y es infinitamente menor que la geografía, que es también finita. Creo en el progreso de la ciencia, pero muchas veces me pregunto si ésta es amiga o enemiga. Un escritor cubano, que debe permanecer en el anónimo por razones obvias, hizo un día una observación profunda: ''Les prometen a los cubanos la salvación de la vida, pero ¿quién puede prometer la salvación de la muerte?'' Probablemente, como hago a menudo, empobrezco sus palabras, pero sé lo que quiso decir: la única certeza en la vida es que nos morimos. Nada puede salvarnos de la nada. Una de las pocas ideas nietzscheanas que me atraen es la del eterno retorno, ahora puesta al día por la ciencia, por la astronomía. Hipotéticamente, cuando el universo termine su expansión actual comprobada, se contraerá hasta su núcleo primordial —para volver a estallar en constelaciones y galaxias expandiéndose—. Pero me pregunto, ¿esa posible repetición universal —de nuevo las estrellas, de nuevo el sol, el sistema planetario, la tierra otra vez, de nuevo el hombre y la historia— no será una versión del infierno?

—Encuentras alguna diferencia entre tu trabajo para las revistas en que colaboras (si me las dices, mejor) y el otro, para tus libros especialmente novelas o similares?

—Es bueno volver a la práctica después de tanta metafísica. Trato, vanamente, de dar una cierta permanencia a los escritos periodísticos y alguna facilidad a mi escritura más permanente, pero me encuentro respondiendo a la petición —al reto— de escribir sobre la aparición en el cine de una estrella *pop* (nada puede ser más efímero que una película y un actor), y al mismo tiempo cubro con pretensiones el facilismo de mi prosa destinada a ser libro. Encuentro entonces la misma resistencia (la página en blanco, la obligación de escribir todos los días, etc.) y la misma facilidad para escribir que he tenido siempre. Solamente la haraganería y las mujeres me han impedido escribir. Miriam Gómez me ha rescatado de las últimas, pero nadie, ni ella misma, me ha logrado salvar de la primera.

—¿Qué es la novela?

—Solamente puedo responder con la definición de un anónimo escritor cubano: "Te dan trescientas páginas en blanco y tú tienes que llenarlas. Nada puede ser más difícil". Ninguna de las definiciones clásicas ("Un espejo que se pasea a lo largo de un camino". "Una obra en prosa de tamaño determinado", etc.) es mejor.

—*Cine: Insisto en que me dijiste una vez que dejabas la literatura* cine die. *Cuéntanos tu trabajo para el cine. Y cómo contacta esa actividad con la escritura.*

—No pude resistir la paranomasia, nunca he podido. Fue así que creé a un boxeador que se llamaba el Kid Proquó. Escribo guiones para subvencionar la escritura de libros. Gracias a *Vanishing Point* completé *Vista* y redondeé *Exorcismos*. O también fue subvencionada por el cine, aunque muchas de sus partes se habían pagado a sí mismas. El año pasado recibí un guión que espero se convierta en película, eventualmente, que siempre incluye la categoría de azaroso. Ese guión, entre una cosa y otra, me tomó medio año de trabajo. Tuve que suspender la escritura de *Cuerpos Divinos*, que iba de lo mejor. Así el cine interrumpió la literatura, no la ayudó, y para colmo el dinero ganado con ese guión me ha creado problemas insolubles de impuestos. Es así que el cine y la literatura se encuentran, se ayudan y se entorpecen mutuamente.

—*¿Qué películas inscribirías tú entre tus monstruos personales?*

—Hay, ay, tantas. Trataré de recordar unas pocas, sabiendo que voy a olvidar las más importantes. *King Kong* (que se ha puesto de moda ahora pero que vi en su estreno, cuando todavía no sabía leer, y que no pude olvidar y vine a reencontrar una tarde en 1965 en Barcelona: resultó más fascinante que la primera vez), *Caracortada, El demonio es un pobre diablo* (que nunca pude acabar de leer: hubo un apagón en el pueblo y no la he vuelto a encontrar), *Flash Gordon en Marte, Tarzán, el hombre mono* y *Tarzán y su compañera* (el descubrimiento, junto con *Caracortada*, del sexo en el cine), *The Whole Town's Talking*, el encuentro con un actor favorito, Edward G. Robinson, y la primera película que vi en La Habana, varios oestes de Buck Jones, *El capitán Maravilla*, serie de episodios, como la serie *El avispón verde, Sun Valley Serenade* (que me reveló la música americana), *Ay qué rubia* (descubriendo a Rita Hayworth), *Sangre y arena* (con el encuentro gozoso de Rita Hayworth y Linda Darnell), *White Cargo* (con la presencia inolvidable de Hedy Lamarr, luego encontrada, ¡desnuda!, en *Extasis*), *El ciudadano* (entrevista, vista sin terminar de ver por no sé qué malestar de mi madre, luego encontrada, casi veinte años después, en el cine Ranclagh de París, para pasmo mío), *Laura* (con la belleza cautivante de Gene Tierney, recordada con un traje de raso que descubría no cubría sus caderas promisorias), *El filo de la navaja* (porque Gene Tierney no podía estar más bella ni ser más malvada: el misterio de la mujer), *La bella y la bestia* (con una Ingrid Bergman condenada por la carne, y Lana Turner, uno de mis amores, salvada por su inocencia), *Cuéntame tu vida* (por Ingrid Bergman y por la primera visión consciente del Hitchcock), *La mujer del cuadro* (el encuentro entre Edward G. Robinson y una copia de Hedy Lamarr, Joan Bennett, y un anzuelo prometedor de un cebo suficiente: no dejaban entrar a los espectadores después de media hora de comenzada la tanda), *Al borde del abismo* (con la conciencia de que estaba viendo a Humphrey Bogart, aunque un poco antes había visto *Tener y no tener* y encontrado la belleza casi adolescente de Lauren Bacall), *El tesoro de la Sierra Madre, Humoresque* (porque fundía un interés reciente, la música clásica, con el amor imposible), *Saboteador* (sin saber que era un Hitchcok, pero fascinado porque jugaba con un miedo viejo, la acrofobia), *La dama de Shanghai* (Rita Hayworth de nuevo, esta vez transformada por Orson Welles), *La máscara de Demetrio* (con Peter Lorre y Sidney Green-street y la extraña belleza de Faye Emerson), *El luchador* (con Robert Ryan, cuando ya empezaba a buscar películas malditas), *Encrucijada de odios* (también con Robert Ryan, por entonces cazando films políticos), *La bella y la bestia* (cuando se habían creado los cineclubs en La Habana), *High Noon* (con un viejo ídolo, Gary Cooper), *El ocaso de una vida* (esa *Sunset Boulevard* que afirmó mi pasión por el cine americano), *Quai des Orfevres (por Suzy Delaire,* naturalmente). Con los restos del Cine Club de la Habana, creamos Ricardo Vigón, Germán Puig, Néstor Almendros y otros la Cinemateca de Cuba, y aparece en mi vida el cine silente, al que respeté, más por supersticiones culturales que por interés, pero al que llegaría a detestar. Hubo sin embargo momentos memorables como *Un chien Andalou, La pasión de Juana de Arco, Un sombrero de paja de Italia.* Luego vino *Blowing Wild,* un mediocre *western,* que es importante en mi vida porque su crónica fue la primera crítica profesional que hice y la vi con un gozo nuevo, como si el éxito o el fracaso de esa película dependiera de mí de veras. *La rosa blanca* (hecha por el ya adocenado Emilio Fernández, del que guardaba el recuerdo de *Río escondido* y *La perla*), que fue la primera crítica que retrospectivamente juzgué publicable. *Friné, la cortesana* (porque pude hacer mi primer chiste crítico), *La ventana indiscreta* (Hitchcock permitiendo al espectador, a mí, besar lentamente a Grace Kelly) (un leve salto atrás, a recordar *Un americano en París, The Bad and the Beautiful* y *Corrientes ocultas,* que me hicieron consciente del talento excepcional de Vincent Minnelli.) *Nace una estrella* (apreciando a Judy Garland como por primera vez), *Lo que el viento se llevó* (descubriendo que lo que era para mí, entonces prejuiciado pseudointelectual, una execrable superproducción, podía convertirse en una película extraordinaria), *Al este del Edén* (porque fue la revelación de James Dean, como *Un tranvía llamado deseo* reveló a Marlon Brando, pero Dean más cerca de la visión de la vida que tenía entonces: este film se nombra en TTT como uno que va a ver a Silvestre, a reconocerse en él, a extasiarse con él), *El beso mortal* (un film maldito que, como crítico, descubrí al público al tiempo que se me revelaba: su crítica es una de las pocas con que todavía estoy de acuerdo). En 1955 fui a Nueva York, y una de las visitas que hice fue una diligencia: conseguir que la filmoteca del Museo de Arte Moderno prestara sus films para reavivar la moribunda Cinemateca de Cuba. Durante la visita me exhibieron varios films: el más memorable de ellos fue *Las vacaciones de Mr. Hulot.* Después la he visto innúmeras veces y siempre me pareció perfecta. Una de mis cegueras críticas más lamentables fue no haber reconocido a *Casablanca* como la obra maestra que es: no lo vi en La Habana entonces, ahora doy gracias a la televisión por regalarme su visión a cada rato, y nunca me explico cómo un fanático de Humphrey Bogart y de la primera Ingrid Bergman pudo tener tan pobre ojo crítico. *Raíces en el fango* o *Mr. Arkadin* (Orson Welles de nuevo encontrado), *La Strada* (de alguna manera esa película significó un cambio en mi vida: de crítico anónimo me vi convertido en cronista citado), *Casta de malditos* (desde los años cuarenta no había gozado tanto un film de atracos), *Brindis al amor (The Band Wagon,* con las deliciosamente interminables piernas de Cyd Charisse, que ya había adornado otro *musical* maestro, *Cantando bajo la lluvia), La cenicienta en París (Funny Face:* con un amorcito, Audrey Hepburn, vista bajo el influjo del amor), *Amor en la tarde* (de nuevo Audrey Hepburn, con su belleza posible, junto a Gary Cooper, ella tan adorable como frente a Humphrey Bogart en *Sabrina),* Y... *Dios creó la mujer* (Brigitte Bardot, un mito de mi tiempo —los demás quedaban en el pasado o estaban en el futuro— hecho de veras carne: fue un *amour fou foudroyant), Bonjour Tristesse* (una película contemporánea vista bajo el influjo del amor verdadero, de la vida real: fue tal vez la primera película vista junto a Miriam Gómez), *Sombras del mal (Touch of Evil,* Orson Welles tan gótico como nunca, de vuelta a los Estados Unidos), *Algunos prefieren quemarse (Some Like it Hot,* un género querido: la comedia americana y un mito encarnado, la rubia gloriosa, juntos en Marilyn Monroe), *Río Bravo* (mi vieja pasión por los oestes encuentra al oeste perfecto), *North by Northwest* (Hitchcock, como nunca, mejor que nunca con Cary Grant y Eva Marie Saint embellecida), *Vértigo* (para mí la mejor película de Hitchcock, con un nuevo amor rubio, Kim Novak: creo que fue la película que más me gustó en los años cincuenta: la apoteosis del amor), *Los 400 golpes* (que fue para mí un avance del cine del futuro, visto por primera vez en México como jurado del Festival de Acapulco), *La aventura* (para mí, no creía entonces en el talento de Antonioni, fue no una revelación, sino una confirmación), *Psycho* (vista en París y metiendo miedo, lo que ya me parecía imposible), *Los pájaros* (que fue la realización de un imposible: un film experimental comercial de los más memorables que vi en Bélgica). No vi ninguna película particularmente notable en España, si exceptúo *King Kong*. En Londres, en los años sesenta, estuvo *Bonny and Clayde,* en los setenta, *Chinatown.* En las dos actúa Fay Dunaway. Aquí también vi en un cineclub *Bringing up Baby,* una de las comedias de los años treinta más vivas y actuales. También en Londres he descubierto la televisión, el cine por televisión, viendo de nuevo viejas obras maestras, *The Mummy, Drácula, The Black Cat,* y comedias excepcionales, como *Midnight,* que ya no se hacen. Esta larga relación no se debe considerar de ninguna manera como una lista de cien o diez mejores películas. Ese error de selección ya lo cometió Caín una vez —con resultados no por previsibles menos desastrosos—. Pero hay que anotar una suerte de selección, que es la que aparece mencionada en TTT —una lista mítica—. Hay además tres películas de Humphrey Bogart que no debo, que no puedo olvidar. Una es muy conocida, *El halcón maltés.* Pero las otras dos son cintas casi secretas: *Dark Passage,* que revela las conexiones entre el cine y el sueño, y *In a Lonely Place,* una película de amores imposibles con ese viejo amor de la niñez, Gloria Grahame. Cualquiera de las películas mencionadas arriba no me encontrarán impávido, sino conmovido de volverlas a ver, de recordarlas.

—*Haciendo cine —crítica, guiones, etc.— ¿has intentado alguna vez el teatro?*

—No, nunca.

—*Una pregunta para Offenbach: Cuéntame algo de gatos, y otros animales. De las flores (ésta para Miriam Gómez) y de otras mitologías. ¿Qué es lo sobrenatural?* *

—Offenbach intenté atraparlo en un ensayo, pero él necesita un libro, más que un libro un boletín diario que ofreciera un reflejo de la riqueza que da vivir con él. Aparte de Offenbach, tengo poco que contar de gatos, porque nunca había convivido con gatos. En ''Offenbach'' mencioné brevemente cómo mis *pets* habían sido los animales más variados. Tal vez pueda hablar de ellos un poco ahora. Yo que he sido o traté de ser un asesino de pájaros, el primer animal que recuerdo haber tenido es un sinsonte. El sinsonte es un pájaro que no se conoce en España, solamente en el sur de los Estados Unidos, en México y en el Caribe. Su nombre es azteca y es tan desconocido en España que la película (basada en una novela de éxito) *To Kill a Mockingbird,* literalmente *Matar a un sinsonte,* se llamó en España *Matar a un ruiseñor.*

* Cuando esta pregunta fue hecha y contestada Offenbach vivía. Murió el 26 de diciembre de 1977. Por razones sentimentales y literarias, el texto que sigue debe quedar donde está. R. M.ª P.

Pero yo que he oído al ruiseñor y al sinsonte, puedo decir que el sinsonte tiene más bello canto. El sinsonte, además, puede imitar melodías (de aquí su nombre en inglés y en francés: pájaro burlón), y recuerdo haber oído uno domesticado en mi pueblo que silbaba casi completo el himno nacional cubano. Mi primer animal fue un sinsonte que me trajo de regalo mi tío cuando yo tenía apenas cuatro años. El sinsonte es un ave singular: para amaestrarla hay que cazarla siendo un pichón. Si se la captura ya adulta, en cuanto se la pone en una jaula se niega a comer y se muere literalmente de hambre. Es uno de los pocos animales que se declara en huelga de hambre en cuanto lo ponen en prisión. Este sinsonte mío era adulto, pero también era un pichón, y aunque lo cuidé tiernamente y andaba por la casa con las alas cortadas, no duró mucho. Lo que lamenté más de la cuenta, tanto que no tuve otro animal en dos años. Mi verdadero primer animal doméstico (aparte las palomas que me despertaban todas las mañanas temprano) fue un perro, que mi padre nos regaló a mi hermano y a mí. Un cachorro gris, hermosísimo. Pronto, sin embargo, empezó a comportarse de manera extraña, y mi padre, temiendo que tuviera rabia, lo amarró con una soga larga, a cuyo otro extremo ató una piedra. Su intención evidente era echar el perrito al mar vecino. Un amigo lo vio, y para impedirlo le pidió a mi padre que le regalara el cachorro, que él apostaba que no tenía rabia. Mi padre aceptó y el amigo, que vivía a unas cuantas cuadras (útil palabra americana que quiere decir otra cosa diferente de manzana) de casa, cargó con el perro, gesto notable, considerando que mi pueblo, que fue muy español, había heredado de España el poco aprecio por la vida animal. El tiempo demostró que este amigo de mi padre tuvo razón al diagnosticar (mejor, vaticinar) que el perrito no tenía rabia. Pero mostró algo más interesante: la extraordinaria memoria de los perros y su legendaria fidelidad. Este perrito, ya convertido en perro, venía a cada rato por casa. Pero no sólo esto, sino que cuando tuvimos que mudarnos a la casa de mis abuelos, que quedaba en dirección opuesta, él supo no sólo encontrar la casa, sino visitarnos a menudo. Se había convertido en un perro enorme, verdugo (que quiere decir de un color gris con verdugones oscuros), al que sus amos no podían alimentar satisfactoriamente. Estuvo viniendo por casa por años, a pesar de que no era muy bien tratado el pobre, siempre con hambre pero igualmente afectuoso. Pero nunca le cayó bien a mis abuelos. Tuve otros perros. Uno negro sin manchas, llamado Negrito, que se hizo huevero, desgraciadamente. Ningún remedio (aun el muy cruel de la cáscara de huevo caliente) le quitó el raro apetito de los huevos. Se lo tuvimos que regalar a un campesino que era tan pobre que no tenía gallinas. Después vino Leal, que era de veras leal. Murió una muerte cruel, en una de las tantas campañas antirrábicas que emprendían los sucesivos alcaldes de mi pueblo, inútiles porque nunca vi un perro rabioso. Recuerdo que estábamos mi hermano y yo y otros muchachos oyendo radio sentados en la acera de enfrente, mientras Leal dormía en la puerta de la casa. Eran las nueve de la noche, pero es cierto que los asesinos no descansan. Uno de los radiooyentes me gritó: "Están envenenando a tu perro". No sé cómo lo supo, pero al mirar vi un hombre parado en la cuneta, frente a la acera alta de la casa (en mi pueblo, excepto en su zona central), las casas, por lo accidentado del terreno, suelen tener aceras altas: las hay hasta de dos metros y medio: la nuestra podría tener un metro de alto) y a Leal oliendo un pedazo de carne, decidido a comerla evidentemente: la carne era entonces un lujo en la casa para las personas, mucho más para un perro. Leal se comió de un golpe la posta envenenada con estricnina tradicional. Yo me quedé paralizado, confrontado por la muerte por primera vez. Pero mi hermano, a pesar de sus pocos años, cogió una piedra de la calle y se lanzó al envenenador de perros oficial, acertándolo. Este verdugo, cumplida su labor, desapareció en la noche pueblerina. Leal duró un poco, tal vez quince minutos. Recuerdo que nos miraba a mí y a mi hermano, moviendo el rabo, ignorante de que le quedaba muy poco tiempo. Al cabo, cayó de lado y se murió. Al otro día lo enterramos en el patio. No volví a tener perros por un tiempo. Pero tuve otros animales —o me tuvieron a mí, porque eran animales salvajes—. Un día, después de una tormenta (y las tormentas tropicales, sin referirme particularmente a los huracanes llamados ciclones en Cuba, las tormentas de agua y viento y rayos suelen ser de veras violentas: en Europa no conocen estos temporales abruptos, que comienzan tan repentinamente como terminan) apareció en el patio un guanabá, que es una zancuda capaz de volar muy alto, con alas de dos metros de envergadura y metro y medio de alto. Este guanabá estaba herido en una pata y no se podía mover. Son aves mansas pero su pico largo y gris les da un aspecto formidable. Lo curamos (creo que lo curó mi abuelo o tal vez fuera mi bisabuela) y se quedó a vivir en la casa. Pero sólo un tiempo. Antes de que tuviera ocasión de ponerle nombre, arrancó a volar una mañana temprano, sin que nadie lo viera irse, como nadie lo había visto llegar. Hubo otro aparecido. Esta vez fue un cernícalo, que en el pueblo llaman con un nombre más apropiado, zarnícalo. Yo solía mirar y admirar a los cernícalos volando sobre los terrenos baldíos que rodeaban nuestra casa, buscando ellos qué cazar, volando muy lentamente, tan lentamente que parecían inmóviles en el aire y luego lanzándose a una gran velocidad hacia tierra, sobre la presa encontrada. Como el guanabá, el cernícalo cayó en el patio, herido en un ala. Tal vez un muchacho con gran puntería y mayor fuerza de tiro lo había alcanzado con una pedrada. Este pájaro se quedó más tiempo, mucho tiempo después de que estuvo curado. A este nadie se acercó a cuidarlo porque los cernícalos son fieros. Yo solía alimentarlo con pedacitos de carne y lo tenía amarrado de una pata por un cordel largo. Le puse de nombre Punzó, porque era más rojo de lo que suelen ser los cernícalos, una clase de halcón menor que el gavilán, que es el terror de los pollos y las gallinas en el campo cubano. Punzó estuvo conmigo hasta que se atrevió a amenazar los pollos de una gallina muy fiera y muy apreciada en la casa. La gallina habría matado al cernícalo si yo no le lanzo un palo. Siempre he tenido muy mala puntería, pero esa vez, cosas del azar, el palo dio un bote y fue a pegar a la gallina en la misma nuca. Quedó muerta en el acto. Esto me costó una paliza (mi madre era bastante estricta y con una mano tan fácil como dura, sobre todo cuando yo era niño) y la posesión de Punzó, que fue devuelto en seguida al campo, al aire libre, a lo que en definitiva era su elemento: la libertad. El tercer animal salvaje que tuve no cayó del cielo, fue el regalo de un campesino amigo, de un guajiro, que lo trajo en un saco de yute y lo depositó en un barril para el carbón. Mi primer contacto con este regalo, con ese animal, fue una mordida en un dedo. Era una jutia, un roedor que abundaba en los campos de Cuba (cada día hay menos porque para su mal es comestible) y que parece una rata grande. La comparación es desgraciada porque la jutia es un animal muy limpio, que sólo se alimenta de frutas y fácilmente domesticable. Hay tres variedades, una con el rabo prensil. Esta que me regalaron era de rabo estirado, pero su variedad alcanza mayor tamaño. Es, desafortunadamente, más apreciada por su carne. Mi jutia, llamada Panchita, creció hasta hacerse más grande que un gato, lo que la haría para los hipotéticos gatos del vecindario (no había ninguno: mi primer gato lo vine a ver en casa de una tía, al otro extremo del pueblo: fue el único que vi en mi niñez, excepto por un gatico infeliz al que un primo, que nunca había mostrado su veta de crueldad, en una discusión doméstica le aplastó la cabeza con una gran piedra), esta jutia sería la pesadilla de un gato: una rata casi del tamaño de un perro. Tampoco duró mucho Panchita entre mis manos. Un día desapareció sin dejar huellas. Yo quiero creer que regresó al campo de donde salió. Mi familia, más realista, apostaba que se la habían comido los vecinos: la jutia es un animal mítico en Cuba. Ahora porque no quedan más que en los zoológicos, entonces por la supuesta sabrosura de su carne. Aquí terminan mis relaciones con los animales llamados salvajes. El último de estos animales que tuve contacto no era mío, sino de mi bisabuela: una cotorra que repetía insana "Pan para la cotorrita" a toda hora del

día y que llamaba a su dueña constantemente. Todavía estará repitiendo "Caridad, Caridad", dé-
cadas después de que murió su dueña, porque
las cotorras suelen vivir hasta cincuenta años. O
al menos eso dice el folklore. Y no hay quien coma
carne de cotorra o la acuse de transmitir la rabia
—aunque contagian la sitacosis. (Si te digo que tengo
la sitacosis y te quedas como si tal cosa.) Un día se
apareció mi abuelo, que vivía entonces en Holguín,
lejos de mi pueblo y de mi familia, separado de mi
abuela, pero solía visitarnos de vez en cuando. Vino
acompañado de un perrito blanco con manchas café,
que él decía que era un terry. (Quería decir que era un
terrier, pero hoy yo sé que no era un terrier.) Este
perrito, que no era un cachorro, le había sido
regalado por su novio a una sobrina suya, y cuando
ella y el novio se pelearon, su sobrina no quiso saber
más del perro. Mi abuelo, apenado con el perrito y sabiendo lo que me gustaban los perros, hizo el viaje al
pueblo para traerme el perrito, que en seguida se llamó
Terry. Fue, como con Offenbach, amor a primera
vista, doble amor. Terry, además de ser muy
afectuoso, había aprendido unos cuantos trucos de
perro de circo, y con su cuerpo de galgo reducido y su
rabo corto, era muy cómico verlo caminar en dos
patas por toda la casa. Uno de los pesares que me
produjo la salida del pueblo fue dejar a Terry detrás,
y en La Habana, al principio, siempre estábamos mi
hermano y yo preguntándole a nuestra madre cuándo
se reuniría Terry con nosotros. En realidad, nunca lo
volví a ver. Quedó al cuidado de mi bisabuelo, que,
como todo el mundo en la familia, se había prendado
del perrito, y fue también envenenado un día —quiero
suponer, para no aumentar el número de mis

enemigos, que fue por el mismo siniestro envenenador—. Vine a tener un último perro ya casi un
hombre, cuando mi mentor, Antonio Ortega, exilado
republicano español amante de los perros y de los
gatos, me llevó a casa de una familia española amiga
(todos eran asturianos), que tenían una perra con
varios cachorros. De entre ellos escogí uno, amarillo
con manchas blancas, al que puse por nombre Ready,
que era el título de una novela que había escrito
Ortega que tenía por protagonista un perro. Ready
era achatado pero con una gran cabeza como de
alsaciano reducido y de una gran inteligencia. Cuando
mi vida se complicó por la política y las mujeres, me
olvidé de Ready, que se hizo cada vez más neurótico, y
un día, aunque parezca increíble, se suicidó. Mi padre
salió a pasearlo por la cuadra, y Ready, que era en
extremo obediente, en vez de caminar por la acera,
como hacía siempre, arrancó a correr hacia una
avenida próxima y lo arrolló un auto. Fue el último
animal que tuve, mejor dicho fue el último mamífero,
porque un día que fui a la Ciénaga de Zapata me
encontré un hombre que vendía canarios a un precio
irrisorio. Compré uno que resultó un cantor infatigable. Le encantó a mi madre, y cuando vine a
Bruselas se lo regalé. Cuando regresé a La Habana a
los funerales de mi madre, al volver del cementerio me
encontré al canario cantando como en los días
luminosos (empezaba yo a vivir con Miriam Gómez)
en que lo compré. Decidí regalarlo ese mismo día: no
era el sinsonte salvaje de mi niñez pero era otro pájaro
cantor. He olvidado, a mitad de mi relato de
animales, mi posesión de una coneja blanca que
regalé a una niña preciosa después de poseerla un
tiempo —a la coneja, no a la niña—. O la jicotea que

se hizo demasiado grande para tenerla en la casa y la doné al zoológico. Una jicotea es una especie de tortuga de agua dulce cubana, no tan memorable como otra tortuga cubana —uno de cuyos ejemplares es célebre por un cuento terrible, sexual y zoofólico de Miriam Gómez.

Miriam Gómez podría hacer cuentos de flores, si no encontrara ella la palabra escrita aborrecible. Sus cuentos de su pueblo harían un libro de relatos maravilloso. Pero hablemos de las flores. Puedo contar que ella llena la casa con flores, con un perenne ramillete especial de flores amarillas sobre mi mesa de trabajo. Es por supuesto un acto religioso, y aunque es un ritual siempre me sorprende. Hay otras sorpresas de Miriam Gómez. Me levanto tarde —para encontrarla colgando de una barra cerca del techo, estirando su ya largo cuerpo con estos ejercicios que por su devoción y constancia podrían pertenecer al yoga—. Otros días la encuentro tumbada en el piso de la cocina, envuelta en una sábana blanca, como un sudario, ella inmóvil como la muerte. No estaba meditando pero sí reposando su mente. Es un recurso contra los días malos o confusos. Ella confiesa que envuelta en la sábana comienza a tener pensamientos blancos, a pensar cada vez menos, hasta que se siente flotar fuera de la sábana, del cuarto, de la ciudad, y volar hasta campos de verde verdor, de árboles floridos de flores, y allá se queda por momentos que hacen una eternidad, hasta que al regreso a la ciudad, al cuarto y a la sábana envolvente los problemas han desaparecido. Están además sus rituales de cada viernes, haciendo sus ofrecimientos devotos a Santa Bárbara. Esta oscura santa del santoral cristiano (creo que hasta el papa la expulsó del calendario) es una diosa afrocubana. Mejor dicho, un dios. O más exactamente un dios-diosa, sincretismo de un dios Yoruba (Changó, que un día, perseguido por sus muchos enemigos, tuvo que disfrazarse de mujer, aunque él es encarnación del macho guerrero africano), y la santa que lleva una espada en la mano: nada más viril que ese símbolo fálico. Miriam Gómez le rinde tributo, especialmente, a Obatalá, encarnada en la virgen de las Mercedes. También a San Lázaro, que se ha convertido de santo leproso en deidad afrocubana Babalú. Todos estos santos pertenecen a la teogonía que se conoce en Cuba como santería: el culto de los santos, pero son en realidad dioses y hacen, para Miriam Gómez, las veces de los dioses tutelares de la antigüedad. ¡No me sorprendería encontrarla un día adorando a Isis! Nadie en la casa puede observar sus ritos, aunque yo con mi curiosidad pude ver una vez el extraño procedimiento del cambio de las aguas. A veces, en días turbulentos o después de una visita que ella ha decidido que estaba ''cargada'' (entiéndase, echando malas vibraciones), riega cubitos de hielo por todos los rincones de la casa. Está además el uso liberal del perfume (mientras más barato, mejor: había uno ad hoc en Cuba llamado siete potencias) que asperja en sitios estratégicos que ella se sabe. Cosa curiosa, el perfume se llama popularmente en Cuba esencia: la esencia para uso espiritual. Hay otros misterios, pero revelarlos (como los de la Bona Dea en Roma) es peligroso.

Así se puede encontrar lo sobrenatural como lo natural en mi casa. Como en el budismo zen, en mi mundo (que está regido por Miriam Gómez de una manera casi absoluta aunque pueda parecer lo contrario) lo natural y lo sobrenatural se funden, no como en ciertos teólogos protestantes contemporáneos, sino en una manera que resulta muy cubana, donde siempre han estado presentes los dioses entre el pueblo (antes estaba casi reducido al mundo negro, donde era común ver a un hombre o a una mujer vestidos de inmaculado y total blanco, del sombrero o turbante a las medias, incluyendo la ropa interior, porque esta persona se estaba "haciendo un santo", es decir santificándose, comunicando con los dioses de una manera particular y devota, la santificación llegando desde la comida hasta el sexo), donde convivían, como en Haití y en Brasil y por supuesto en Africa, el mundo natural y lo sobrenatural. Por mi parte nunca he creído en Dios y no estoy muy seguro de que los dioses, versiones menores y locales de Dios, sean tan eficaces como Miriam Gómez pretende. Pero creo en el azar como una fuerza, como ley sobrenatural. La naturaleza está contenida en el universo (no hay nada fuera del universo, ni siquiera la nada), pero el universo está regido más que por leyes físicas, por el azar. Mi presencia en la tierra es tan azarosa como mi eventual (una palabra que no excluye el azar) salida de ella un día. Todo es azar.

—*Por fin: proyectos y cosas en que trabajas, ahora.*

—Tengo un proyecto que está realizado a medias, *Cuerpos Divinos,* interrumpido muchas veces y otras tantas continuado. La última interrupción ha sido para escribir una suerte de memoria erótica (todas las memorias deben ser eróticas), aunque espero que no resulte obscena. Partió de un cuento que publiqué en una revista y un crítico argentino me pidió que escribiera otro parecido, lo que hice. Finalmente me sugirió escribir una serie de narraciones en la misma vena, que relatan mi vida adolescente, dejando fuera la política, en que me crié, a la que luego abracé, y la literatura, que tan importante fue para mí en esos años, dejando dentro nada más que mis relaciones con diferentes mujeres, casi siempre muchachas —y eso es lo que estoy escribiendo desde principios de año, lo que estoy escribiendo ahora, lo que pienso escribir lo que resta del año—, pero no más, pero no más. Hay otro proyecto que interrumpió Fellini con su film: una versión del *Satiricón*, primera novela, uno de mis libros preferidos y que ha sido tan pobremente servido en español. Esta traducción/traición tendría que ver no con Roma sino con esa ciudad que descubrí, que tanto amé y que mucho recuerdo: La Habana, *genius loci*.

Londres, agosto de 1977.

ANTOLOGIA

Y el alicate se corrió y rozó el alambre de cobre y la explosión lo levantó y antes de aplastarlo contra la pared ya lo había reventado y otras explosiones sucedieron a la primera y el sordo rumor salió del cuarto y retumbó por la casa fuera hasta el final de la calle y cuando llegaron los bomberos fue necesario tirar la puerta a hachazos porque estaba cerrada por dentro y por entre el humo y el polvo vieron los cuerpos hechos pedazos y los muebles en añicos y los jirones de ropa. Todo el cuarto estaba encalado de sangre.

LA MOSCA EN EL VASO DE LECHE

Eran dos, no una sola, como al principio había pensado. Su vista era cada día más corta, según creía ella, debido a la costura y no a la vejez. Cuando vio una mancha sobre el cubrecamas pensó que era una mosca, una quizá un poco más crecida, pero una sola. En este momento podía ver, posadas sobre su muslo, un poco por debajo de la línea de sombras que proyectaba la falda recogida hasta media anca, las dos moscas claramente cogidas en un abrazo de amor.

—Nunca pensé que fuera así —dijo.

Una de las dos moscas abandonó el ayuntamiento y voló hasta la mesa. Se posó sobre el mantel y quedó allí, descansando, sin movimiento. La otra que había saltado a la tela en que ella cosía hace un rato, comenzó a lavarse con las patas delanteras, prolijamente, pasaba y repasaba sus artejos con su pequeña y a la vez monstruosa cabeza, limpiando con cuidado de gato su cara, sus ojos abultados y poblados de celdas y su larga y peluda trompa, que flexionaba arriba y abajo, a ritmo con las patas, empeñada en limpiar cada parte de su cuerpo, ahora se ocupaba de las alas, de sus hermosas, traslúcidas alas, frágiles y poderosas a un tiempo: ahí friccionando sus antenas ante su cara, era un bello animalito, grácil y de colores oscuros y llenos de vida.

La mujer la observó, callada, haciendo con sus labios la forma que toma la boca cuando se pronuncia la a con extrema perfección, y luego abría los ojos desmesuradamente hacia el insecto, por último, se incorporó y fue hasta la máquina de coser donde reposaba el retazo de raso azul-celeste, como un manto en las pinturas religiosas, levantó su grande y pesada mano cargada de para que no lo hagas más y la aplastó sobre la mosca.

Pero la mosca la había observado con una de las múltiples facetas de cualquiera de sus ojos y voló fuera del alcance del manotazo, un segundo antes. Al principio, no cayó en cuenta, pero cuando no la encontró muerta al retirar su mano, bajo ella, rompió a llorar rabiosamente.

—No lo hagas más, no lo hagas más —dijo entre sollozos.

Se sentó en la cama, gimiendo todavía, y arrojó lejos las chancletas de palo que llevaba, recostó su cabeza de descuidados y sucios cabellos cenizos contra la almohada y dobló el brazo derecho sobre sus ojos, para evitar que la claridad que manaba del tubo de luz fría le molestara.

La había tenido que encender media hora atrás porque la oscuridad ya no le permitía coser. Antes se había levantado de la máquina para ver qué había hecho que todo oscureciera tan de repente y temprano, y se asomó a la ventana. La reja tenía un complicado dibujo bordado en hierro y a través de ella podía ver la calle y de día, el cielo.

—Parece que va a llover —dijo a la reja.

Marchó adentro, rengueando por el calambre que le habían producido las horas pasadas junto a la máquina de coser, sentada cosiendo.

—A ver si se va el calor —bisbiseó a la oreja redonda de la máquina, antes de que diera vueltas.

Pero el calor no se había ido en media hora y tal parece que no se irá en medio día. Ahora siente que el grueso colchón y la sangre de su cuerpo aumentan el calor y lo acumulan en la espalda, pero no desea cambiar de posición y mucho menos levantarse. ¡Está tan cansada!

—¡Sí, cansada de todo y de todos ustedes: de cocinar, de lavar, de limpiar esta puerca casa tres veces al día, y luego tener que pegarme a la máquina, a coser la tarea del día, cansada de servirles a ustedes de madre y de mujer sin serlo, sin haber tenido ni hijos ni marido! ¿Qué coño se creen? —les había gritado a sus dos hermanos por la mañana, cuando uno de ellos respondió a su lamento de siempre: "¿Cansada de qué?"

—¡De todo, me oíste, de todo! No puedo seguir viviendo así; es que no puedo. ¡Me iré de aquí! Buscaré marido y me iré de aquí, ¿lo oyen?

—Ya estás vieja para las dos cosas.

El que contestó fue el hermano mayor y el hermano menor dijo:

—Sí, muy vieja.

—Vieja, pero todavía tengo con qué. Tengo piernas y tengo brazos y tengo... —pero el hermano mayor no la dejó terminar de un manotazo. Sintió cómo un gusto entre salobre y dulzón inundaba su boca y quizá pensó que no era desagradable.

—Te quedarás aquí y trabajarás. Como nosotros. En esta casa nadie puede vivir a costillas de nadie. Los tiempos están malos —dijo el mayor. Y el eco fraterno repitió:

—No, los tiempos están malos. Viene el tiempo

muerto, el tiempo de la zafra se va y el tiempo de los bobos se acabó —y se rió con su risa de idiota.

Pero la cama se calentaba demasiado para permanecer sobre ella, y aunque se había virado sobre el lado derecho, un caluroso vaho sofocaba su brazo y su muslo. El vestido estaba pegado a la espalda por una zona más oscura sobre el pardo indefinido de la sarga pringada, costrosa.

Se puso en pie.

—Dicen que es el calor. Sí, es el calor —dijo mientras echaba hacia atrás su pelo pegado a la cara. Pasó el dorso de una mano por la frente y lo retiró mojado, limpiándolo en la falda—. Pero ¿por qué no podré tranquilizarme? Quiero vivir tranquila. ¿Por qué no soy de piedra, Señor?

Buscó con los ojos la abigarrada lámina que presentaba a Cristo, de frente, a medio cuerpo, en la pía actitud de mostrar sus llagas y heridas y sufrimientos mientras su cara se dulcificaba melancólicamente, en aquella lámina, y no halló respuesta.

Pronto olvidó sus ruegos y sintió sed. El calor había aumentado hasta hacerse ciertamente insoportable. Renqueó, a trompicones, rascando alternativamente sus cabellos o sus muslos, golpeando, leve, con el puño cerrado, el costado derecho de su vientre hasta conseguir eructar, llegó al cubo donde guardaba el agua para tomar, pero antes de ver el fondo de la vasija, seco, cubierto de algún polvo y uno que otro insecto muerto, recordó que el agua se había terminado durante el almuerzo. Y aunque sabía que no saldría agua por la llave del agua, fue hasta ella, dando tumbos, acalambrados sus miembros, mesándose la cabeza, gritando hasta enronquecer, y antes de acordarse que quedaba alguna leche en el fondo del litro, en la alacena, y decidir que la lecha podía quitarle algo la sed.

Vació totalmente el pomo en un vaso de borde grasoso y cubierto de restos de comida, cogido del fregadero, junto a la loza del almuerzo. La leche llegaba casi a la mitad del vaso y se sintió feliz. Calmada, se sentó a beber la leche.

Entonces fue cuando las vio de nuevo. La primera que regresó fue la que debía ir debajo, luego vino la otra. La mujer las vio claramente esta vez, porque estaban posadas sobre el mantel que todavía cubría la mesa, pero no quiso mirar. Aunque no tenía que mirar. Allí estaban las dos, ocupando el lugar de una sola, regodeándose en el pecado, moscas como hombre y mujer. Dejó el vaso de leche, del que apenas había bebido, en la mesa y fue hasta el armario y sacó de entre la ropa propia planchada y la recién hecha ajena, un abanico de guano.

De vuelta a la mesa, vuelta que había realizado de puntillas, evitando respirar empezó a levantar lentamente el abanico encima de la mosca, las moscas. Súbitamente lo hizo descender. Sobre el mantel blanco, aunque manchado de grasa y con fideos pegados a él, el abanico de fibras de colores tejidas se veía con agrado. Pero las moscas, abrazadas, volaron ilesas, juntas, hasta la pared extrema de la habitación.

"¿Por qué yo siempre tendré que coser ropa de hombre?" ¿Por qué siempre pantalones y pantalones y nada más que pantalones? ¿Por qué no me dan batas lindas o vestidos de vieja u otra cosa? ¿Qué se creen que soy yo, una cualquiera? Están equivocados, pero muy equivocados. No hago más que coser pantalones y pantalones. Seguro que lo hacen para ver si yo todavía abrazo las piernas y lloro o me olvido de ponerle los botones justos donde van, o que los escondo para dormir con ellos. ¡Están...''

—...muy equivocados! —gritó, ya en alta voz.

—¿Equivocados en qué? —le había preguntado, lentamente, su hermano mayor, que aseguraba los forros de una chaqueta frente a la mujer, mirándola por sobre los espejuelos.

—Nada. Pensaba... pensaba... —¿Para que hubiera otra pelea? Mejor callarse

Y callada comenzó a recordar los días de niña, cuando su padre, entonces adinerado porque la sastrería tenía su clientela, la llevaba los domingos por la mañana a un picadero, ¿dónde, dónde estaba?, ¿en qué lugar era?, y ella montaba a caballo, como los hombres, por no querer abandonar sus lindas batas, y el sudor del caballo mojaba sus muslos y en seguida el sudor de sus muslos respondía al del caballo. Luego había otras fiestas, otras diversiones, pero no podía recordar. ¿Por qué el caballo y los paseos a caballo, siempre?

Las dos moscas ahora se revolcaban cerca, a pesar de que les había huido hasta la máquina de coser, pero ellas se posaron sobre el raso, zumbando sobre la tela.

—¡No, ahí no! —gritó ella, ahuyentándolas con la mano—. Ese es el manto de la Virgen.

Pero se posaron más cerca de su cuerpo, frente a su cara. Retrocedió hasta el extremo de la silla y cuando ellas volaron hacia ella, cayó de espaldas, al suelo. Se puso en pie y corrió hasta la otra habitación y deseó que hubiera puertas que cerrar, mas ellas dos la siguieron hasta allá. En el otro cuarto, cerca del fogón, se armó con la escoba y, tomándola por el mango, golpeó a las moscas en el aire. Por supuesto

que no pudo darles. Volvió a pegar de nuevo, esta vez
sobre el fregadero, destrozando el amasijo de vasos y
platos cubiertos de desperdicios, las moscas se habían
ido, sin daño, pero a pesar de ello, siguió golpeando
sobre los añicos. Las moscas volaron, no era posible
determinar si en retirada o en simple viaje de luna de
miel, a la primera pieza y se posaron sobre el armario.
Ella llegó y golpeó concienzudamente cada sección del
mueble y también sobre el espejo, que primero rajó y
luego cayó en pedazos. Las moscas saltaron a la cama
y ella atacó el colchón más de una vez y a las almohadas
pegó con escoba y mango para que el plumón y la
lana reventaran las fundas en diversos sitios. Las
moscas en cada vez se posaban sobre algo rompible,
como para que ella lo destrozase, y lo hacía.

Al cabo, sudorosa y jadeante, no veía dónde gol-
peaba, y pegaba aquí y allá, sin mirar siquiera, los
ojos llenos de lágrimas y sudor, llorando a grito. Así
estuvo un rato. Cuando no pudo más, cayó al suelo,
sofocada y extenuada, gimiendo sobre las losetas. Allí
el calor se hizo más intenso a cada jadeo de la mujer,
hasta que un vaho caldeado, imposible, rompió una
lluvia fuerte y continua, que chocaba con el piso del
patio con un ruido hirviente, que crecía.

El aire fresco y húmedo que venía del patio, la hizo
alzar primero la cabeza y después los ojos a la lluvia, y
quedó mirándola por un tiempo. Luego se levantó de
repente, se despojó de las ropas y corrió hasta el agua
que caía. Allí dejó que la lluvia la mojara un buen
rato.

Cuando regresó, desnuda, su cuerpo oscuro y ya
viejo chorreando agua del patio donde ha dejado que
le caiga todo el aguacero encontró que una de las
moscas se había ahogado en el vaso de leche.

"12"

Cruzó la calle con su paso de atleta y se detuvo en la esquina. Era mediodía. El sol caía a plomo sobre el parque, sobre la calle, sobre su cabeza y el muchacho se detuvo más tiempo que el que hubiera necesitado en otra ocasión para pensar y actuar en seguida. Eso lo perdió, porque por la calle soleada, brillando azul y blanca, bajo la luz cegadora, vio venir la perseguidora. Se quedó quieto: quizá no lo reconocieron. Pero la perseguidora chirrió y paró en seco. Los tres ocupantes bajaron bruscos, brutales.

—*¡Tú! ¿Qué hases parado aquí?*

—*Nada. Espero la guagua.*

—*La guagua, ¿no? Ven acá, ¿tú no eres…?*

—*Sí, sí, ése mismo es. ¿Llamo?*

—*¡Pero en el atto!*

Cuando comunicaron con la planta, dijeron el nombre. La voz del otro lado sonó violenta.

—*Cumpla la orden.*

—*Pero, general, está desarmado.*

—*Cumpla la orden que se le ha dado.*

—*Oiga, mi general…*

—*Que lo mate, ¡coño!*

El primer policía apretó la ametralladora y disparó casi encima de la orden. El muchacho cayó. En el suelo volvieron a dispararle. Pero por gusto.

ABRIL ES EL MES MAS CRUEL

No supo si lo despertó la claridad que entraba por la ventana o el calor, o ambas cosas. O todavía el ruido que hacía ella en la cocina preparando el desayuno. La oyó freír huevos primero y luego le llegó el olor de la manteca hirviente. Se estiró en la cama y sintió la tibieza de las sábanas escurrirse bajo su cuerpo y un amable dolor le corrió de la espalda a la nuca. En ese momento ella entró en el cuarto y le chocó verla con el delantal por encima de los shorts. La lámpara que estaba en la mesita de noche ya no estaba allí y puso los platos y las tazas en ella. Entonces advirtió que estaba despierto.

—¿Qué dice el dormilón? —preguntó ella, bromeando.

En un bostezo él dijo: Buenos días.

—¿Cómo te sientes?

Iba a decir muy bien, luego pensó que no era exactamente muy bien y reconsideró y dijo:

—Admirablemente.

No mentía. Nunca se había sentido mejor. Pero se dio cuenta que las palabras siempre traicionan.

—¡Vaya! —dijo ella.

Desayunaron. Cuando ella terminó de fregar la loza, vino al cuarto y le propuso que se fueran a bañar.

—Hace un día precioso —dijo.

—Lo he visto por la ventana —dijo él.

—¿Visto?

—Bueno, sentido. Oído.

Se levantó y se lavó y se puso su trusa. Encima se echó la bata de felpa y salieron para la playa.

—Espera —dijo él a medio camino—. Me olvidé de la llave.

Ella sacó del bolsillo la llave y se la mostró. El sonrió.

—¿Nunca se te olvida nada?

—Sí —dijo ella y lo besó en la boca—. Hoy se me había olvidado besarte. Es decir, despierto.

Sintió el aire del mar en las piernas y en la cara y aspiró hondo.

—Esto es vida —dijo.

Ella se había quitado las sandalias y enterraba los dedos en la arena al caminar. Lo miró y sonrió.

—¿Tú crees? —dijo.

—¿Tú no crees? —preguntó él a su vez.

—Oh, sí. Sin duda. Nunca me he sentido mejor.

—Ni yo. Nunca en la vida —dijo él.

Se bañaron. Ella nadaba muy bien, con unas brazadas largas, de profesional. Al rato él regresó a la playa y se tumbó en la arena. Sintió que el sol secaba el agua y los cristales de sal se clavaban en sus poros y pudo precisar dónde se estaba quemando más, dónde se formaría una ampolla. Le gustaba quemarse al sol. Estarse quieto, pegar la cara a la arena y sentir el aire que formaba y destruía las nimias dunas y le metía los finos granitos en la nariz, en los ojos, en la boca, en los oídos. Parecía un remoto desierto, inmenso y misterioso y hostil. Dormitó.

Cuando despertó, ella se peinaba a su lado.

—¿Volvemos? —preguntó.

—Cuando quieras.

Ella preparó el almuerzo y comieron sin hablar. Se había quemado, leve, en un brazo y él caminó hacia la botica que estaba a tres cuadras y trajo picrato. Ahora estaban en el portal y hasta ellos llegó el fresco y a veces rudo aire del mar que se levanta por la tarde en abril.

La miró. Vio sus tobillos delicados y bien dibujados, sus rodillas tersas y sus muslos torneados sin violencia. Estaba tirada en la silla de extensión, relajada, y en sus labios, gruesos, había una tentativa de sonrisa.

—¿Cómo te sientes? —le preguntó.

Ella abrió sus ojos y los entrecerró ante la claridad. Sus pestañas eran largas y curvas.

—Muy bien. ¿Y tú?

—Muy bien también. Pero, dime... ¿ya se ha ido todo?

—Sí —dijo ella.

—Y... ¿no hay molestia?

—En absoluto. Te juro que nunca me he sentido mejor.

—Me alegro.

—¿Por qué?

—Porque me fastidiaría sentirme tan bien y que tú no te sintieras bien.

—Pero si me siento bien.

—Me alegro.

—De veras. Créeme, por favor.

—Te creo.

Se quedaron en silencio y luego ella habló:

—¿Damos un paseo por el acantilado?

—¿Quieres?

—Cómo no. ¿Cuándo?

—Cuando tú digas.

—No, di tú.

—Bueno, dentro de una hora.

En una hora habían llegado a los farallones y ella le preguntó, mirando a la playa, hacia el dibujo de espumas de las olas, hasta las cabañas:

—¿Qué altura crees tú que habrá de aquí a abajo?

—Unos cincuenta metros. Tal vez setenta y cinco.

—¿Cien no?

—No creo.

Ella se sentó en una roca, de perfil al mar, con sus piernas recortadas contra el azul del mar y del cielo.

—¿Ya tú me retrataste así? —preguntó ella.

—Sí.

—Prométeme que no retratarás a otra mujer aquí así.

El se molestó.

—¡Las cosas que se te ocurren! Estamos en luna de miel, ¿no? Cómo voy a pensar yo en otra mujer ahora.

"13"

Caminó rápido por el callejón y sintió el ruido del motor que se acercaba. Dio media vuelta y regresó con rapidez a la calle que había dejado detrás. Caminó rápidamente y dobló en la siguiente esquina. Ya no oía el motor, pero seguía caminando rápido. Al llegar a la avenida dobló a la izquierda y se pegó a la pared. Entonces vio la microonda azul y negra que se enfrentaba a él, levantaba el hocico al llegar a la loma y avanzaba calle abajo a su encuentro. Oyó la voz y no pudo oír lo que dijo, pero pudo imaginarlo: "¡Ese, ese mismo es, coronel!" El coronel saltó de la perseguidora todavía en movimiento y levantó la ametralladora. "¡Pégate a la pared con las manos bien altas!" El muchacho lo miró, no dijo nada y despacio dio media vuelta y se pegó a la pared. Otro policía lo registró: "Ah, armadito y todo. ¡Qué bien!" El muchacho miró a la pared y a la luz del atardecer distinguió las rugosidades del repello, la poca uniformidad de la pintura y vio una hormiga que caminaba con trabajo pared hacia arriba. "¡Quítense!" La hormiga cruzó un pellejo de pintura, se perdió y volvió a aparecer más arriba. Ahora estaba frente a sus ojos. "Quítense, quítense

¡carajo!" La hormiga siguió su camino, indiferente, ajetreada "¡Ya verá!" La hormiga saltó contra el hombre porque la pared tembló. Se hicieron uno, dos, diez desconchados, redondos, parejos, en sucesión. El muchacho pegó contra la pared y cayó hacia atrás. El coronel siguió disparando. Cuando se le agotaron las balas, caminó hasta el muchacho y lo insultó y lo pateó y lo escupió. Finalmente, sacó su pistola y le metió una bala en la nuca. El tiro, los insultos, el salivazo, la patada, eran igualmente inútiles: el muchacho se llamaba Frank y ahora estaba muerto. *

* Hasta aquí, pertenecen los textos a *Así en la paz como en la guerra*. La Habana, 1959. Barcelona, 1966.

*una de las
más
extravagantes,
pero
dinámicas
críticas de g:
está entre mis favoritas,
porque "el beso"
está entre mis favoritas*

SPILLANA MACABRA

El título pertenece a una flor que prolifera en la literatura y el cine norteamericanos. El sembrador de la mala semilla se llama Michael Spillane y su mejor jardinero responde al apelativo de Robert Aldrich. Juntos han abonado con sexo, violencia y muerte súbita una de las flores malditas del cine de Hollywood de este año, quizá la más rara y perfecta: la dalia negra de la poesía macabra: *El beso mortal.* Estrenada "de relleno" a inicios de octubre —con un film de *gangsters* por mediocre más afortunado: *Cada bala una vida*—, el cronista la persiguió hasta encontrarla junto a *Hiroshima,* como si ésta fuera un presagio de lo que sucedería de haber triunfado los criminales en aquélla. Porque el tesoro que buscan los hampones esta vez no es el oro vulgar ni la plata pasada de moda: es energía atómica. El guionista A. I. Bezzerides *(Fiesta de pecadores, La huella del gato)* ha convertido a los comunes pistoleros de la novela de *gangsters* de la Era Atómica, y a un tiempo ha apretado la acción y eliminado cuantos personajes tendían a disgregarla: es decir, la ha sintetizado. Por su parte

Aldrich (feliz descubrimiento de la compañía Hecht-Lancaster, director de películas clase C, realizador de la veraz *Apache* y de la excelente *Veracruz,* y el último creador de Hollywood) ha desintegrado el guión de Bezzerides. Utilizando la cámara como un ciclotrón estético, ha bombardeado las truculencias absurdas de Spillane con protones de acción interna, megatones de barroquismo fotográfico y electrones de movimiento de actores: ha conseguido —como bien dijo la revista francesa *Cahiers du Cinéma*— el primer film de la Edad del Atomo. La fauna del bajomundo de Spillane siempre había exigido una realización barroca *(Yo, el jurado)* y teatralidad *(La larga espera)*. Aldrich ha magnificado ambas exigencias y ha logrado una cinta torturada, dramáticamente retorcida y amenazadoramente monstruosa, como una gárgola proyectándose en la noche: la primera gran muestra del gótico moderno desde que Orson Welles dejó Hollywood. Desde los días de *La dama de Shanghai* no había desfilado por las pantallas una colección de bajorrelieves góticos tan tenebrosa y bien tallada. Porque *El beso mortal* es el triunfo de la dirección, todo en ella está controlado por la voluntad megalománica de Aldrich: el guionista trasladó la acción de la victoriana Nueva York a la abigarrada Los Angeles y Aldrich se dispuso a arropar a ésta con una túnica gótica, no recurriendo a parques de diversiones abandonados, a galerías de espejos o a mansiones monstruosas. No, por las calles empinadas y junto a las piscinas soleadas o en los parques con palmeras deambula Mike Hammer vengando el crimen o rapiñando dinero. Pero la cámara lo toma desde abajo, lo aplasta desde arriba, lo encuadra en las monumentales escalinatas callejeras, le atrapa en un ángulo de una escalera que ya no es más una escalera sino un símbolo agorero, le recuesta contra la vidriera de una puerta común y la puerta es un vitral con un santo hereje en el medio, le enjaula en un apartamento moderno y el modernismo grato se convierte en un juego gótico de sombras amenazantes. Para tal hazaña ha contado Aldrich con la complicidad de Ernest Laszlo, uno de los muralistas en blanco y negro más capaces de Hollywood, y el cohecho de la ciudad de Los Angeles, la ciudad maldita por el *cine negro* y las novelas de Dashiell Hammett y Raymond Chandler. Por ella desfilan, y Laszlo los retrata de frente y de perfil, los criminales más natos del cine: Albert Dekker, Jack Elam, Jack Lambert, Percy Helton. Con sus fichas y una que otra redada por predios más exclusivos, Aldrich ha completado un caso para la defensa de Hollywood: *El beso mortal.*

TODOS LOS JAPONESES MUERTOS

Hiroshima ha sido acusada de *roja* en los Estados Unidos porque fue auspiciada por la Unión de Maestros Japoneses, sindicato comunista en la fecha del rodaje del film. Pero en la media hora que le falta al film (15 minutos cortados por la censura japonesa: "Demasiados horrores, hostilidad contra Norteamérica, etc.''; otros 15 cortados por la censura americana por casi idénticas razones) deben de haberse ido todos los denuestos, porque *Hiroshima* se ve dirigida mayormente contra el militarismo nipón y contra el uso de la bomba —aunque la cinta dice, por supuesto, que la bomba fue arrojada por un B-29.

A pesar de que el lanzamiento de la bomba atómica contra dos ciudades japonesas pareció necesario en medio del furor y el zumbido de la guerra, han pasado diez años y los japoneses —y los propios americanos— se han encargado de lavar el estigma bárbaro con que fueron bautizados durante la guerra (en dos cintas de Hollywood, *Guadalcanal* y *La patrulla de Bataan,* se tildaba a los japoneses de monos a los que había que bajar de los árboles a tiros y se decía que el mejor japonés era el japonés muerto) y ahora aparecen como lo que fueron siempre: una congregación humana no mejor, pero tampoco peor que cualquier otro pueblo de la tierra: Hiroshima no merecía la bomba más que Egipto las plagas, Pompeya la erupción del Vesubio o San Francisco el terremoto de 1906. Pero rosada, amarilla o negra, *Hiroshima* es un poderoso alegato contra la guerra pasada y una muestra tímida de lo que sería la próxima guerra futura.

El film comienza mostrando a la ciudad ajetreada entre ruinas. Una familia se entrega al diario empeño de enviar los niños a la escuela; otra se preocupa más de la cuenta por la hemorragia nasal de una de las niñas (luego esta escena se repetirá, magnificada, macabramente, en terrible contraste: miles de niños y mujeres y hombres sangrando por la nariz, sangrando por los ojos, sangrando por la boca, sangrando por los poros; por todos los orificios del cuerpo); un soldado arenga a la multitud, se detiene en medio de una filípica gutural y en un típico arranque de actor japonés, se dispara como un autómata y golpea a una niña entre las filas a que se dirigía: ella no atendía. Hay una alarma aérea y la vida se interrumpe, angustiada. Pasa la alarma y la vida recobra su ritmo, quizá con más vigor y alegría. De pronto, en la tranquila mañana, se escucha el zumbido de pájaro de mal agüero de un avión. "¿Será un B?", se pregunta una maestra entre sus alumnos, un grupo de obreros, unas muchachas, unos soldados con licencia. La respuesta es el infierno. Se produce la explosión y una ciudad se convierte en una réplica del fin del mundo: el Armagedón toca a las puertas: la bomba ha estallado: el tiempo está cerca y este film abre el sexto sello y le dice al espectador medio dormido: "Ven y ve".

¿Se abrirá el séptimo sello?

Recreando hábilmente por medio de sugerencias y metáforas el horror de la explosión (lo que ocurrió realmente sería imposible de imitar e insoportable para el espectador más endurecido), el director Hideo Sekigawa ha logrado una réplica japonesa de los círculos infernales descritos por el Dante: sólo que Dante jamás fue tan dantesco. Aun en medio del caos de la hecatombe, Sekigawa no descuida el plan original y prosigue su alegato contra el militarismo y su canto a la solidaridad humana. Un general, espada *samurai* a la cintura, quemado hasta las pestañas, pregunta por sus hombres insistentemente y la única respuesta es la visión de un vagón lleno de soldados ardiendo como un fósforo magnífico. Un hombre chamuscado trata de salvar a su mujer de las ruinas de su casa, pero el fuego se lo impide. En medio de las llamas, los chillidos sobrehumanos de la mujer le piden que busque al hijo en la escuela y lo ponga a salvo. El hombre inicia la búsqueda entre derrelictos humeantes, cadáveres carbonizados y espectros que huyen a ninguna parte. Corriendo se acerca un soldado, enloquecido, con una bandera en la mano y reclama a gritos saludos para el emperador. El hombre se inclina —el orden y la jerarquía inútiles contra el caos— y el soldado continúa su vesánica carrera, aullando saludos a la gloria del Hijo del Sol Naciente. Luego un niño quemado de pies a cabeza confunde al hombre con su padre, bajo una lluvia torrencial. Finalmente, el hombre encuentra a su hijo, muerto, entre un grupo de niños heridos. Un niño de tres años grita que tiene frío: la bomba no sólo le ha llevado la ropa, también le ha arrancado la piel. Una maestra conduce a sus alumnas, cogidas de la mano, al puerto, donde desaparecen una a una bajo las aguas, en una escena de una belleza infernal: la más fúnebremente hermosa del film. Una niña grita por su madre en medio de las ruinas y su alarido se pierde entre los ayes de dolor de los heridos y el fragor de la destrucción y la muerte. Después de este poema macabro a Némesis, un salto lleva al espectador siete años más tarde a la ciudad en plena reconstrucción. Y aunque el resto es anticlímax y puro discurso visual, cumple su propósito cabalmente, pues sin dejar de oponerse a la guerra (otra serie de episodios muestran a un muchacho que se gana la vida vendiendo calaveras de los muertos en la explosión; un hombre joven que abandona su puesto en una fábrica que comienza a fabricar granadas; unos niños huérfanos que piden chocolate a los soldados americanos; dos enamorados que se alejan, porque ella es una tullida por la bomba; un niño escapado de un asilo que regresa a Hiroshima dispuesto a trabajar en su reconstrucción) es un canto magnífico a la vida inmortal: vendrán pestes, plagas y guerras, y el sol se pondrá y se levantará y el hombre, como la tierra, siempre quedará.

27 de noviembre de 1955

esta crítica
tuvo tanto éxito
como el film:
"la strada"
en cuba
se debió al éxito
de la crónica:
esto es algo que escapa
a mi comprensión

EL CAMINO DEL CALVARIO

Una novela es un espejo que se
pasea a lo largo de un camino.

STENDHAL

La Strada es lo que muchos intentan y pocos logran: un poema. Y un poema en el cine es tanto como un milagro. *La Strada* es un milagro.

La Strada es un camino; los italianos dicen que es una carretera, pero se sabe que es un camino; un camino real, el mismo por el que Tennesse Williams pasea a su ubicuo Kilroy. Pero a veces un camino no conduce a ningún lado. O a otro camino y éste a su vez a un callejón sin salida. Kilroy nació en un retrete y llegó hasta el Partenón: en ambas paredes se lee: *Kilroy was here. La Strada* es un camino que nació en un alto en el camino. Federico Fellini se detuvo un día en una carretera y penetró en el bosque. Caminó y entre los pinos escuálidos divisó una carreta y junto a ella una pareja de gitanos. Detrás del pinar vio la tienda de un circo, plegada. Al lado de la carreta había un fogón de tres piedras y de entre las piedras todavía salía humo. Arrimados al fuego, los gitanos tomaban sopa de una abollada, sucia escudilla. La mujer sostenía la vasija con una mano y comía con la otra; el hombre comía con una mano y mantenía el equilibrio precario de unas cuclillas con la otra mano. Ambos comían en silencio y Fellini contuvo la respiración. Continuaron comiendo, siempre en silencio. Terminaron de comer y la mujer guardó la vasija en la maltrecha carreta. En todo el tiempo no habían hablado palabra. Así nació *La Strada*.

La Strada es la historia de una comunión animal entre un hombre y una mujer. Son dos seres, pero su entendimiento es primitivo, pre-humano. Entre ellos corre una oculta corriente de silencio, una neolítica empatía que les une como un fosilizado cordón umbilical. La mujer lo sabe: el hombre es ignorante. El hombre se llama Zampanó, pero se podía llamar de otra manera, incluso Adán. La mujer se llama Gelsomina y es como su nombre: un jazmín. Es simple y maravillosamente complicada como su nombre de flor, y aunque no puede ver la abeja, la presiente. El hombre es hosco, turbio: a través de él no se ve nada: está hecho de noche. Un día, muchos años después, cuando Gelsomina ha muerto, ella le amanecerá y el hombre dejará su primera huella humana: una lágrima.

Zampanó es un atleta de circo, sin circo. Va de pueblo en pueblo, de una plaza a otra haciendo el único número que sabe: romper el eslabón de una cadena expandiendo el pecho. Como todo hombre de circo, necesita una compañera: como todo macho necesita una hembra. La anterior ha muerto y regresa a donde la encontró y repite la operación: por $15 le compra a la vieja aldeana su otra hija, Gelsomina.

Esta es una boba, amiga de los animales y de los árboles y de los niños, y como todos los anormales, tiene una enorme sensibilidad. Zampanó se la lleva. Pronto empieza su aprendizaje: a la fuerza, Zampanó la introduce en su *trailer* antediluviano —un carro de dos ruedas tirado por una moto, que es a la vez casa, almacén y transporte— y la hace su mujer: a golpes de vara, la enseña a tocar la trompeta y anunciar su número de circo con una prestada pomposidad teatral: "N'è arrivato Zampanó".

Zampanó es duro, Zampanó es cruel, Zampanó es Zampanó. Pero Gelsomina comienza a amarlo. Al principio, lo aborreció. No le tuvo odio, porque los idiotas no odian: simplemente, aborrecen, hacen asco de lo que les molesta. Ahora, sin embargo, lo ama. Sufre, empero, la soledad de dos en compañía: Zampanó es indiferente a su existencia, le importa menos que uno de los eslabones de su cadena que rompe noche a noche. Zampanó, como siempre, se equivoca: Gelsomina es su eslabón perdido, aquel que al romperlo apretará la cadena y le aprisionará al género humano.

Gelsomina es un poeta. Llegan a un pueblo y planta a la orilla de la carretera unos tomates. Se irán mañana, pero allí quedará la obra de creación de Gelsomina: una planta de tomates: un poema. Gelsomina escucha el zumbido de los alambres telefónicos; le canta a Zampanó dormido su canción preferida, tarde en la noche, en la imperfecta trompeta; habla con los niños: intenta divertir con bufonadas a un niño enfermo de hidrocefalia; se aturde en una procesión y se embriaga en la iglesia, a la vista de la magnificencia litúrgica; escucha los aires alegres de tres músicos de ninguna parte que pasan a su lado hacia ninguna parte. Una noche bebe con Zampanó y se siente complacida que éste invite a su mesa a una rijosa prostituta: ella es feliz cuando alguien a su lado es feliz: por eso es siempre infeliz al lado de Zampanó: Zampanó no es feliz. Pero Zampanó se marcha con la prostituta y deja a Gelsomina esperando sentada en la acera. Pasa una hora, dos y pasa una yegua preñada por su lado, lenta, cansada. Al otro día Gelsomina está todavía en la acera y por la tarde halla a Zampanó tumbado en una cuneta, borracho. Parten.

Gelsomina encuentra gente simpática en su camino, a pesar de Zampanó. Un día conoce a una monja de un convento cercano, donde ambos pasan la noche. Zampanó aprovecha la noche para robar imágenes de plata del convento y Gelsomina reaparece ante las monjas llorosa, afligida. La monjita le confiesa: ''No estamos nunca mucho tiempo en un sitio. Es para que no nos apeguemos demasiado a las cosas del mundo''.

En una feria, Gelsomina conoce a un trapecista. Se hace llamar el ''Loco''. Para Gelsomina se trata de un ángel, no exento de algo diabólico. Por coincidencia, Gelsomina y Zampanó y el ''Loco'' trabajan en el mismo circo. El ''Loco'' molesta constantemente a Zampanó. Le arruina su trabajo. Una noche Zampanó está en su pretendida labor ardua de romper el eslabón y cuando ya casi lo logra, irrumpe el ''Loco'' en la arena y le dice: ''Zampanó, te llaman por teléfono''. Es la eterna lucha del hombre que se arrastra contra el hombre que vuela, del hombre apegado a la tierra contra el hombre pegado al cielo. Zampanó no puede más y persigue al ''Loco'' con un cuchillo. Da con su duro pellejo en la cárcel.

Mientras, el ''Loco'' habla con Gelsomina y le hace comprender que ella es un ser humano, que complementa al género como los demás la completan a ella: las campanas doblan y repican por uno y por todos. Gelsomina se cree inútil, innecesaria y el "Loco" le enseña que todo es útil: un árbol, una nube, una piedra. Es aquí donde aparece más claro el mensaje del film. Preguntado si la cinta es católica, Fellini dijo lo acertado: "Solamente franciscana". El mensaje de hermandad, de fácil panteísmo —Dios está en todo, aun donde no está—, conmueve a Gelsomina y le hace comprender que ella es parte de Zampanó como Zampanó es parte de ella. Le espera a la salida de la cárcel y parten.

En el camino Zampanó encuentra al "Loco" que ha sufrido una avería y le ataca: le pega, le hace trizas el reloj, le rompe el cráneo. Al marcharse, le grita: "Deja que te vuelva a coger, ¡ya verás!" Y el "Loco", en su última respuesta ingeniosa, musita: "¿Todavía hay más?" Mira con infinita tristeza su reloj destrozado y comprende que su tiempo ha terminado. Muere. Zampanó disfraza el crimen casual, mientras Gelsomina aúlla de dolor y de miedo, como un animal ante el evidente misterio de la muerte. Parten.

Gelsomina enloquece definitivamente y, al hacerlo, se convierte en la conciencia de Zampanó. Recuerda la melodía del "Loco" y le llama a gritos. Zampanó no puede más y la deja abandonada en un camino, con su vieja trompeta al lado.

Los años pasan y un día Zampanó, más viejo, más miserable, ridículo en su pobre acto de fuerza, escucha la canción que Gelsomina cantaba y pregunta por ella. "Ha muerto, señor", le dice una muchachita. Esa noche, Zampanó es arrojado igual que la basura de la cantina que visitaba. Como todos los desechos, va a dar al mar. Allí, en la playa, en el cielo de la noche, escucha la ensordecedora voz del silencio y siente la presencia pesada, de plomo, de la soledad. Llora; por primera vez en su vida demuestra que es un ser humano.

Como se ve, el film es también un mensaje de redención. Recuerda, vagamente, la temática de *Nido de ratas;* la conversión de un renegado, de un bruto a la fe humana: todos los hombres son hermanos: "Ama a tu prójimo como a ti mismo". Es aquí donde aparece la falla de un film hermoso, amargo y perfecto. Sus personajes son pobres de solemnidad, casi parias. Este ser subhumano padece una vida dura, antipática: para hacerle frente ha de hacerse duro, antipático. Su pobreza, su miseria —moral y física— no es una condición humana, es una imposición social: el pobre no es pobre porque quiere, el bruto es bruto a pesar suyo. ¿Podrá una simple conversión en términos casi divinos redimirlo de su angustiosa situación de derrelicto? Y los que le han arrojado allí, los que le han forzado a esa vida, ¿serán a su vez tocados por la gracia y le libertarán del yugo físico, como él ha sabido liberarse de la cadena espiritual? Esas son preguntas que Fellini y la mayoría de los cristianos —"Mi reino no es de este mundo"— no sólo no contestan, sino que apenas se las plantean.

No obstante, *La Strada* es una de las más hermosas y perfectas oraciones de caridad desde que se enunció el Sermón de la Montaña y tardará mucho en venir, si es que viene, otro film tan humano, tan rico de ventura.

Federico Fellini ha construido su cinta como una catedral: firme, monolítica, dirigida al cielo. Tardó más de dos años en prepararla y su concepción la

maduró por espacio de diez años: buscó infatigable-
mente a los intérpretes, las locaciones y la atmósfera;
dibujó los planos y aprovechó su habilidad de carica-
turista para trazar un borrador gráfico de las caracte-
rísticas físicas de los personajes. Desde la música
—compuesta por Nino Rota, en lo que es no sólo el
tuétano del film, sino una de las mejores partituras cinematográficas de la postguerra europea— hasta el
atuendo, pasando por la interpretación, todo ha sido
vigilado con el ojo sabio de un maestro: el más
nuevo maestro del cine italiano.

Zampanó está interpretado por Anthony Quinn
con una comprensión y un fervor propios de un gran
actor. Dice Fellini, después de señalar la elegancia de
Quinn, su atractivo latino y su bondad exterior, que le
hacían demasiado simpático al público desde el inicio,
estropeando el contraste con la conversión final:
"...Pero si se debía hacer una selección entre
actores profesionales, debo reconocer que Quinn,
ciertamente, es el mejor adaptado al nada fácil rol".
El "Loco" ha sido entendido por Richard Basehart
—otro inteligente actor americano— con una
diabólica ambigüedad, que se acerca más a un
homosexual sublimado que a un ángel extraviado en
una misión terrena. Pero la sorpresa dentro de la sorpresa es Giulietta Masina, la esposa de Fellini, la
madre prolífica de *Europa 51,* quien de un redoble de
tambor se convierte junto con María Schell e Ingrid
Bergman en la tercera del trío de grandes actrices
europeas. Su rídiculo atuendo, su peluca amarilla y su
juego de ojos saltones la asemejan a un cruce de
Charlie Chaplin con Harpo Marx: es decir, a Harry
Langdon. Del primero tiene la sensible delicadeza, del
segundo la comunicabilidad fácil y la simpatía por el

prójimo; del tercero, su mímica con déficit en el cociente mental. De todos, la genuina fibra de ese *nylon* histriónico: el gran actor de cine. Es ella la que sostiene el film en sus manos femeninas y le confiere la gracia, la humanidad y la infinita melancolía, que es lo que la mujer ha venido a traer al mundo.

La Strada ha sido considerada un apéndice del neorrealismo. No hay tal. No hay más relación de este film con la realidad inmediata —que es a lo que aspira el neorrealismo, con el último término de su ecuación, el film-encuesta, donde el director es una especie de reportero policíaco-sociológico-económico y el actor, un hombre que acertó a pasar a la hora del *survey*— que la que puede tener, por ejemplo, *La quimera del oro* con la realidad de Klondike y los *prospectors* del Yukon. Si a algo se acerca *La Strada* es a un neosurrealismo cristiano en que las viejas imágenes sorprendentes, el aura de sueño, el realismo mágico y el absurdo cotidiano, están puestos al servicio del amor. Pero no del amor total, como querían Aragon, Éluard y Breton, lleno de la lujuria y la violencia del amor carnal con la espiritualidad del amor divino. *La Strada* casi ha olvidado el primero en aras del segundo. De ahí que Zampanó y Gelsomina parezcan los dos términos de una idea, como si el Quijote fuese una sola persona compuesta de él mismo, Sancho Panza y Dulcinea.

11 de noviembre de 1956

*el ateo
caín
(él no creía en
su abuelo)
va hacia la
metafísica*

EL SER INFINITO

El hombre increíble (The incredible shrinking man.—Universal), después de pasada la primera risa franca ante el pensamiento de un chiste evidente (el hombre sin sanforizar *, no produce más que risas nerviosas. Este film modesto (sólo costó $400,000: una bicoca... para Hollywood) y exitoso (en los Estados Unidos ha recaudado ya unos cuatro millones de dólares) es una de las películas más sobrecogedoras que ha visto el cronista. Para ser exactos: la más espeluznante desde el estreno de *Invasión de los muertos vivientes*. Un hombre nada extraordinario se convierte en un fenómeno de atroz presencia por causa de una invención malvada (la bomba atómica) y un descubrimiento de uso cotidiano (el dedeté). El hombre se ha expuesto a una nube atómica en un día de playa y más tarde es rociado inadvertidamente por una fumigadora. Las radiaciones invierten el proceso

* Caín siempre hizo burlas de los *slogans* publicitarios. *Sanforizar* es un verbo inventado por una marca textil, que quería decir que sus productos (pantalones, en este caso) estaban protegidos del encogimiento ante el agua, por un proceso especial.

vital y producen un anticáncer maligno: el hombre comienza a decrecer. Con este simple motivo escalofriante la Universal ha tocado un tema trascendente y, en más de una ocasión, metafísico. El hombre se convierte en noticia, y padece esa enfermedad cuyo contagio es tan buscado primero y repelido con asco cuando se sufre: la notoriedad. Más tarde le asalta una grave inadaptación a un mundo que es el de los mayores —paradójicamente, un adulto es medicinado con su propia receta: los menores no saben lo que mejor les conviene—. Luego se transforma en un monstruo de circo y encuentra momentánea felicidad en el amor (su esposa ha quedado detrás, en el mundo de la gente normal) de una enana de un parque de diversiones. Pronto, sin embargo, es un enano ante la enana y el hombre se refugia en una risible casita de juguetes que su esposa le construye en el *living-room*. Un día la mujer sale y el hombre es atacado por el gato, que le hace caer en el oscuro sótano. Al regreso, la esposa cree que su marido ha muerto devorado por el gato y le llora. Es aquí que comienza la soledad última y que el hombre sufre su tercera metamorfosis: el mundo es ahora el despiadado mundo, lleno de muerte y violencia, de las alimañas y los insectos. Hollywood, como de pasada y por el puente de la anécdota por la anécdota, visita una tierra que han habitado monstruos del espíritu como Kafka y los surrealistas, pero no se detiene. El hombrecito lucha por la existencia con una valentía insensata que emocionaría al viejo Darwin. Una caja de fósforos es su habitáculo, un alfiler un arma de defensa, un fósforo una monstruosa tea fugaz. Hay los enemigos: la separación entre dos tablas de una caja de cerveza, es un abismo; un peldaño de la escalera, el Everest; una araña, el más descomunal y perverso adversario. Un día el hombre comprueba que el mundo de los insectos le queda grande también y que ahora la tela metálica que era una cárcel, es una vía de escape: más empequeñecido, encuentra —por fin— la verdad. Es esta verdad (aunque todo el film esté realizado irreprochablemente) lo que da a *El hombre increíble* su categoría de excepción. El hombrecito tiene (y puede comunicarlo a un ateo como el cronista) lo que es la fe. Lo que para el hombre normal es el absurdo de la vida y la inmensidad del cosmos, es para este anormal el microcosmos infinito, y se siente igualmente solo. Entonces le llega un pensamiento cartesiano y salvador: "Mientras piense seré una criatura de Dios... *Para Dios no hay cero*".

23 de junio de 1957

EL NEGRO, CORAZON DEL AFRICA

Sangre sobre la tierra (Something of Value.—Metro) es un film hipócrita —lo que, como muchas veces ocurre en el arte, no le impide ser excelente—. Basada en la novela *Algo que estimar* (un *best-seller* del columnista-escritor Robert Ruark, calificado como un "Hemingway sumergido en una tina de sangre"), la cinta no acumula horrores y mentiras contra el Mau Mau, sino lo que es peor: trata de reconciliar al conquistador y al conquistado en una fórmula de compromiso que no está muy lejos del final mentiroso de *Gigante:* el niño negro se criará junto al niño blanco y el odio quedará borrado por el tiempo. Sucede que la mentira es un subproducto de la hipocresía, porque ésa jamás será la solución al problema africano, mientras una de las partes mantenga en afrentosa servidumbre a la otra. Antes de explicar esta premisa, conviene ofrecer los datos del problema —en este caso el problema imperialista.

En 1888, la Ibea (Imperial British East Africa) Company obtuvo del sultán de Zanzíbar lo que se conoció como Protectorado del Africa Oriental y que en 1920 se convirtió en colonia de la Corona. Los colonizadores —ingleses, por supuesto— llevaban el mismo ánimo de Sir Cecil Rhodes, "confiado siempre en la propiedad de la raza inglesa para gobernar el mundo". Actualmente Kenia tiene cuatro millones de habitantes, de los cuales sólo 35 mil son blancos. Sin embargo éstos controlan el gobierno, el parlamento, el poder judicial y todos los puestos importantes, estatales o no (por eso cuando un personaje del film se asombra y declara: "¡Yo también nací aquí! ¿Por qué me voy a ir?", hay que responderle: pero unos nacen amos y otros nacen ya siervos), y aunque la discriminación no alcanza el grado monstruoso de sus vecinos los colonos de Sudáfrica ("Africa para los *africanders"*, era el lema de Malan; los *africanders* son los europeos nacidos en Africa), hay una declaración de H. G. Wells que conviene citar. Wells señala el desmembramiento de Africa con una frase: "En un cuarto de siglo se completó el reparto de Africa". Luego describe a la Ibea: "... un Estado casi independiente; un Estado, sin embargo, con una predisposición muy marcada a enviar riquezas al Occidente". Es decir: a Inglaterra. Y finalmente formula una denuncia de las actividades europeas en Africa: "En este asunto", dice Wells, "ninguna potencia europea tiene las manos limpias". Wells,

que era inglés, quería decir: las manos de Inglaterra
son como las manos de Lady Macbeth: están mancha-
das de sangre, sangre que ninguna propaganda
(incluso este film y un documental anterior reciente:
Mau Mau) puede lavar. A este respecto hay que recordar la aniquilación de los matabeles por Rhodes,
como para demostrar que en su famosa cita "evangel-
ización y tanto por ciento", podía, en caso extremo,
sustituir la primera palabra por un término letal. Dice
Miró, en su *Libro de Sigüenza:* "¿No sabes que hubo
hombres civilizados, europeos, europeos de verdad,
que para saber el alcance de su fusil pusieron en fila
siete negros y horadaron las siete espaldas humanas?"
Estos ejemplos podían justificar, en parte, la
violencia del Mau Mau, aunque el terrorismo no sea
la lucha política más eficaz. Pero hay más. Al principio de los años 50, el gobernador del protectorado de
Kenia, no *sir* Evelyn Baring, su predecesor, declaró
ilegal el partido de la Unión Africana de Kenia, puso
preso a su presidente, Famel Odede, clausuró las escuelas del partido y persiguió a sus miembros. Fue entonces que nació el Mau Mau, organización terrorista
que aprovechó el descontento habitual y un reciente
impuesto sobre las chozas (los ingleses siempre
desatan las revoluciones por impuestos: recuérdese la
Boston Tea Party, 1776), para iniciar su guerra de ex-
pulsión y exterminio. Las *pangas* (machetes
indígenas), los asaltos nocturnos y el asesinato de mujeres, niños y ancianos fueron la marca registrada
del Mau Mau, que no era una organización bárbara y
salvaje, porque en ella había médicos, abogados, escritores y políticos tan astutos como Jomo Kenyatta.
Por supuesto que la organización no podía convencer
por medio de la dialéctica a las masas indígenas

atrasadas y se aprovechó del miedo ancestral y de la influencia de los brujos para conseguir sus fines. Pero pronto surgieron estrategas brillantes (entre ellos Dedan Kimathi, al que el libro y la cinta tratan de remedar con su Kimandi wa Karanja, y el fabuloso General China) y los ingleses tuvieron que reconocer que los kikuyus sabían entablar con eficacia guerras de guerrillas. Finalmente, los europeos con recursos tremendamente superiores lograron dominar el brote rebelde, aunque para ello fue necesario destruir aldeas enteras y recurrir al exterminio en masa (dos operaciones, la Operación Yunque y la Operación Escoba, arrasaron el barrio negro de Nairobi, donde llegaron a emplear *bulldozers* para derribar las chozas de paja y madera y cartón). Todo esto lo ha oído contar Ruark y sufrió una confusión lamentable —muy americana, por otra parte— en la que lo único visible era la violencia, la sangre y la injusticia —justa justicia para Ruark—. El productor, Richard Brooks *(Semilla de maldad),* tomó del libro las situaciones clisés y los personajes estereotipados (el cazador blanco, el malvado blanco, el blanco bueno, el negro malo, el negro bueno, la selva, Africa, el amor a la tierra, el sexo) y puso todo lo que hay en Brooks de escritor, para lograr un guión razonable, todavía violento, pero menos deshumanizado. El director Brooks se fue al Africa, cargó con buenos actores de California e Inglaterra, tomó los mejores de Africa y ha logrado un film eficaz, tenso, pero fatalmente comprometido. En ocasiones el escritor Brooks escribe unos diálogos trillados, mas veraces ("Su único delito —el de Kimandi— es haber nacido negro"), explica ciertas cosas (el Mau Mau también tiene su origen en que los ingleses transformaron el hábitat del kikuyu, pero le convirtieron en esclavo en su propia morada, se destruyeron los viejos ideales y creencias del negro, se acabó con la tradición y el respeto que vertebraban la familia y el clan kikuyu, fuertemente centrado en el patriarcado y el respeto a los ancianos, haciendo mofa de los viejos, tratándolos como perros en presencia de sus hijos, etc.) y entretiene: ayudado por una hermosa fotografía de Russell Harlan, impedido por la música monocorde de Miklos Rozza; ayudado por las bellas piezas de actuación secundaria de Wendy Hiller, Ken Renard (Karanja, el padre de Kimandi) y Juano Hernández; impedido por Rock Hudson (todavía sigue en su defecto de decir sus frases como si fuera una actriz y no un actor), *Sidney Poitier (Actor's Studio* en el corazón del Africa negra) y Dana Wynter (¿estaba loca o estaba cuerda?, ¿quería al marido o lo detestaba?, ¿existía para ella el Mau Mau o era otra pesadilla?). A lo largo de *Sangre sobre la tierra* queda la impresión de que se trata de un film en que buenos y malos —blancos o negros— disputan sobre injusticias o justicias y no sobre todo un sistema de explotación del nativo por el europeo: la frase final del film, las palabras de un viejo imperialista, Winston Churchill: "Los problemas del Africa Oriental son hoy los problemas del mundo", hay que sustituirla por otra frase de Ngoju, el líder Mau Mau del film: "Los pueblos de color del mundo están despertando". Esto quiere decir Africa. Pero también quiere decir Asia, Oceanía y, sobre todo, América.

21 de julio de 1957 *

* Estos textos pertenecen a *Un oficio del Siglo XX*. Ed. Seix-Barral, 1973.

OFFENBACH

Aparición de

Jaime Diego Jacobo Yago Santiago Offenbach llegó a nuestra vida, sin todos esos nombres, hace exactamente seis años, sin previsión y de repente, como los milagros. Sucedió que un día fui a ver a un amigo, a quien yo visitaba a menudo, y allí estaba, imprevisto, impredecible, Offenbach, entonces un largo gato flaco y blanco que se subía por las cortinas y casi trepaba las paredes para luego venir a mi regazo, de un salto inaudito, comenzó a hacer los más extraños ruidos oídos jamás por mí: así debían cantar las sirenas. Al otro día llevé a Anita y a Carolita, mis dos hijas, a que lo conocieran. También iba Miriam Gómez. (Aquí tengo que hacer un paréntesis deshonroso: es necesario decir que Miriam Gómez siempre quiso, ya desde Cuba, tener un gato siamés y que yo, que había tenido de niño toda clase de *pets,* desde cernícalos hasta una jutía, que es como una rata gigante y herbívora de los campos de Cuba, yo siempre había sentido un innato disgusto contra los gatos, y me negué a tener uno, siempre.) Offenbach, que aún no era Offenbach, tenía solamente dos meses de nacido.

Conquista de... unos y otros

A la semana de haber conocido a Offenbach la novia de mi amigo viajaba a Gibraltar y ellos no tenían quién se ocupara del gato. Decidimos todos que viniera a casa por esas dos semanas. (Para completar la ocasión fausta, a mi amigo se le había declarado una fuerte alergia nasal producida por... ¡el pelo de gato!)

La conquista fue rápida y mutua: Offenbach había encontrado su hogar definitivo, el sitio a que estaba destinado, y nosotros habíamos encontrado al gato pródigo. De más está decir que cuando su dueña entre comillas regresó de Gibraltar ya no era la dueña: ella misma se encargó de decir que habíamos nacido el uno para los otros —y viceversa—. Offenbach, por mutuo consenso, se quedaría a vivir en casa.

El porqué de un nombre

Todos preguntan por qué Offenbach se llama Offenbach y cuando digo por qué nadie quiere creerlo. Sucede que en los primeros días Offenbach solía cantar. A veces lo hacía a las dos de la mañana y su canto era tan poco melodioso que ofendía a Bach.

Ruidos raros

También a medianoche Offenbach solía visitar nuestra cama para hacer los más raros ruidos. Al principio creímos que se sentía solo o mal y la mejor manera de calmarlo era pasarle la mano por el lomo.

Pero esto sólo hacía aumentar los ruidos raros, hasta que supimos que eran ronroneos de felicidad y contento.

Offenbach cambia de casa

Hay una vieja regla inglesa que declara a los gatos más amantes del lugar que de sus dueños y así hay miles de gatos abandonados en toda Inglaterra, simplemente porque sus dueños cambiaron de casa y decidieron dejar el gato detrás. Con Offenbach ocurrió todo lo contrario: él entró primero que nadie en la nueva casa y pronto estaba tan feliz, más feliz, que sus dueños: no era la primera, ni sería la última regla que Offenbach rompería.

¿Nadie es dueño de un gato?

Siempre había leído y oído decir que nadie es verdaderamente dueño de un gato, que se trata de una asociación libre que el gato puede romper cuando menos se lo espere y desaparecer para no volver jamás. No ocurre así con los siameses, a los que algunos llaman los gatos-perros, aunque en su nativa Siam eran llamados los gatos-monos. Offenbach es un siamés con puntos de lila.

Pedigree de

Offenbach es el único inglés de esta casa y aunque él se siente mejor al calor del sol, raro en Londres, sus padres y sus abuelos nacieron en Inglaterra. Fue por

casualidad que supimos su pedigree: para nosotros
Offenbach podía ser un gato de callejón y todavía ser
el centro de la casa: nosotros también somos egipcios.
Pero sucedió que un día nos vimos forzados a
castrarlo —los siameses son criaturas eminentemente
sexuales— para terminar con sus celos que lo
torturaban y nos perturbaban. Seguimos la indicación
de un veterinario, famoso porque escribe libros sobre
gatos y perros, a cuya consulta asistimos.

Al llegar a la consulta y ver el veterinario a Offenbach nos preguntó si teníamos su pedigree. Los
siameses con puntos de lila son una creación de los
criadores ingleses y más raros que el siamés corriente,
ese que tiene manchas de café en la cabeza y en las
patas y en la cola. Nosotros ni sabíamos ni nos intere-
saba el pedigree de Offenbach. El veterinario nos preguntó a quién pertenecían sus padres y sólo pudimos
decir quién nos lo había regalado, que a su vez lo
había recibido de un cantante de *pop*. El veterinario consultó su memoria y pronto supimos que
Offenbach era nieto de una gata propiedad de George
Harrison, el músico Beatle. Pero todavía más: había
una enfermedad de la realeza, como la hemofilia rusa.
Offenbach era nieto de un gato de nombre impronun-
ciable que había pasado a toda su progenie una enfermedad fatal de páncreas. Así supimos que todos los
hermanos y primos de Offenbach estaban muertos,
atacados de repente por vómitos incoercibles. Offenbach había pasado el período peligroso y ahora está
vivo solamente porque todas sus comidas llevan polvo
de páncreas y no hace más que dos comidas al día
—aunque él se las arregla para estirarla a tres. (Más
más adelante.)

Ahora el veterinario dejó su memoria para

consultar sus libros y fue por una rara casualidad —o
tal vez por una casualidad más de las habituales en
Offenbach— que Offenbach vino a ser castrado el
mismo día que había nacido un año antes. Como se
ve, demasiadas casualidades para ser casuales.

Como antes, mejor que antes

La castración no afectó a Offenbach más que en su
relación con las gatas. En sus relaciones con nosotros
si acaso se hizo más afectuoso y mimado. Ahora bien,
Offenbach nunca ha abandonado la casa. Excepto
por dos veces que se cayó de una ventana trasera
abierta al verano al patio de abajo, lo que nos hizo
recorrer todos los patios de la vecindad hasta acceder
al patio indicado y encontrarlo más aterrado que
aventurero.

Offenbach y los gatos

Offenbach jamás ha conocido la relación con otro
gato y siempre se ha negado a reconocerse como tal:
se cree de veras un ser humano y, aunque esta creencia es siempre fatal para los animales, su comportamiento es tan humano que Miriam Gómez lo
llamó un día "un gato animado", recordando los
gatos de Walt Disney et al.

Una vez un pintor amigo nos hizo atravesar todo
Londres hasta Hampstead para que Offenbach
conociera su gata siamesa, Zuzu. Todo iba bien por el
camino (Offenbach no teme subir a un auto, solamente subir a un taxi, recordando tal vez que éste

es el vehículo en que lo llevamos al veterinario, donde siempre ha sufrido heridas y pinchazos), pero, no bien llegamos a la casa, se engrifó, comenzó a escupir y se quedó aterrado en un rincón. Ver a la gata para él fue como para nosotros ver el demonio encarnado. Al regreso a la casa, Offenbach vomitó y defecó en el pasillo, como para demostrarnos físicamente su malestar espiritual.

A veces Offenbach añora las aventuras de los gatos que se ven por la ventana que da al patio, pero es una añoranza lejana, como si esos gatos fueran héroes de leyendas borrosas.

Un día ocurrió la confrontación inevitable. Compramos un espejo, que vino cuidadosamente envuelto. Curioso como todos los gatos, Offenbach quiso ver lo que contenía el paquete. Desempaquetamos, pues, el espejo que quedaba apoyado en el suelo a su altura y, no bien se vio, quedó fascinado con el espejo, tanto que le dio la vuelta, buscando su imagen que desaparecía en los bordes. Finalmente se enfermó ese día: tal vez acababa de reconocerse como gato. Lo cierto es que el espejo, que está a un extremo del pasillo, a la altura humana, aparece a menudo manchado en su parte inferior, con huellas que parecen de una nariz húmeda o de un lengüetazo. ¿Se habrá enamorado Offenbach, otro Narciso, de su imagen del espejo?

El tercer gato

El tercer encuentro de Offenbach con otro gato ocurrió un día que se apareció en la vecindad (el barrio está poblado por las más variadas especies gatunas) un gato negro y joven, al que pusimos por nombre Blackie. Blackie era el gato más inteligente que hemos conocido y dio prueba de ello de una manera decisiva.

Blackie había visto a Offenbach sentado en mi mesa-escritorio y pegado a la ventana trasera, y ya desde abajo le intrigó este gato blanco y distante. Pronto atravesó todos los patios aledaños, salió a la calle de al lado, dio la vuelta a media manzana, seleccionó nuestra puerta entre tantas otras en la cuadra y vino a pararse en la ventana delantera, sentado en el poyo. (¡Este periplo de Blackie es solamente comparable al de un ser humano entrando en un laberinto y encontrando la salida ipso facto!)

Hicimos entrar a Blackie, el pobre, tan amistoso como era, pero Offenbach lo rechazó violentamente y por primera y única vez en su vida atacó a Miriam Gómez que lo tenía cargado. Desde entonces, para dejar entrar a Blackie en la casa y darle de comer, había que encerrar a Offenbach en un cuarto primero.

Desgraciadamente, los días de Blackie en este mundo fueron pocos. Adoptado por una vecina, quien le había comprado un collar contra las pulgas, amaneció un día muerto, atropellado por un auto la madrugada anterior.

Aspecto de

La primera impresión que causa Offenbach es la de ser un gato extraño. Inmediatamente esta impresión es sustituida por la apreciación de su extraordinaria belleza. Largo y flaco, Offenbach tiene una cabeza pequeña y triangular y dominada por sus grandes ojos azules, hechos aun más azules por las manchas color lila que tiene en las orejas y el hocico. El resto del cuerpo es delgado y fuerte con una piel de raros tonos beige o, a veces, rosa pálido, que se vuelve morada en el rabo largo. Pero muchos días Offenbach amanece nevado y todo ese día es un gato color de hielo. Otras veces su tono beige se hace más oscuro y se vuelve como de caramelo, de algodón de azúcar fresa, de chocolate con leche, variando de hora en hora.

Offenbach es sumamente afectado y consciente de la tremenda impresión que produce su primera aparición. Así, camina poniendo una pata delantera delante de la otra, para parecerse a Marlene Dietrich en sus mejores tiempos, mientras la parte trasera de su cuerpo se mueve con el ritmo de un pugilista o de un *cowboy* del cine. Esta aparición hermafrodita causa asombro en quienes lo ven por vez primera y no han visto todavía su trote de tigre o su andar cauteloso de pantera en acecho, mientras embosca a su juguete preferido: una tapa de corcho o una bolita de papel. (Aquí habría que hablar de los juguetes de Offenbach, de cómo ha rechazado ratones de plástico animados para volver a sus viejos corchos o cómo, de un solo viaje, destroza un león de peluche y se lo come —de hecho se tragó medio león un día y estuvimos una semana esperando su muerte inminente, pero echó la mitad del león como se la había comido, con su centro de alambre saliente pero sin lastimarlo, milagrosamente.)

Offenbach y las hierofanías

Offenbach tiene un lugar reservado en la cocina para su comida, en un plato doble de plástico amarillo, colocado sobre un doyle de goma. Allí está también su platillo para la leche, un jarro de agua y, a veces, su vasija para las vitaminas B de adulto, que devora de tres en tres cada mañana.

Miriam Gómez, por su parte, ha colocado sobre mi buró una hierofanía: una copa de agua para los muertos de la familia, especialmente para mi madre. Desde el primer día que Offenbach la vio, decidió que la copa de agua era para él beber y dejó de beber en el jarro que tiene en su rincón para venir a saciar la sed encima de mi mesa de trabajo. Desde entonces se le incorporó al ritual y no es raro ver a Offenbach venir y beber sobre mi mesa mientras escribo. No hay mejor compañía para la soledad del escritor de larga distancia.

El lenguaje de

Offenbach se comunica con nosotros con algo más que maullidos. Su repertorio de sonidos forma un lenguaje peculiar al que el oído adiestrado busca y encuentra significados.

Brrr es un ronroneo de placer y de contento.

Burrr es el ronroneo alargado hasta una forma de protesta: no hay que seguir acariciándolo, o se le debe acariciar en otra parte del cuerpo.

Miau es el saludo de por la mañana, una especie de buenos días que Offenbach nunca deja de dar.

Miauuu es para pedir algo: desde la comida hasta que se le abra una ventana y sentir el olor del jardín.

Miuu es siempre una advertencia: significa que él está presente y por tanto se le puede pisar o, lo que es peor, pasar por alto.

Miu es un simple saludo a cualquier hora del día.

Miawou es el saludo a quienes regresan a la casa. Es también una forma de queja: ha estado demasiado tiempo solo.

Mia miau es una exigencia: la comida que se retrasa o alguien que no quiere cargarlo o cederle un asiento.

Miau simple pero seguido o precedido por un bostezo, es soberano aburrimiento: no hay que olvidar que Offenbach es un pura sangre y toda actitud en él es francamente soberana: no pide, exige.

Miaorru es cuando quiere jugar.

Rorroua es siempre un rugido: atavismo de la selva o rezagos del macho que todavía hay en él.

Hay muchas más entonaciones del maullido, pero se quedan para otro tratado: el lenguaje animal al nivel humano.

Otras voces, otros hábitos

Offenbach tiene un más amplio registro de voces, es solamente mi pobre transcripción que la limita.

Offenbach es tuerto. Es decir, no tiene visión —y con todo es imperfecta— más que en un ojo. Este defecto lo ha hecho, entre otras cosas, adoptar la costumbre de saludar, a quien llega a la casa por primera vez o después de mucho tiempo de no venir, subiéndose al regazo del visitante y acercando su nariz hasta la nariz de' recién llegado. Es una forma especial de su saludo, pero pocos saben comprenderla.

Otro hábito de Offenbach es hacerse el centro de atención. Así en una reunión él busca siempre la sección de oro del grupo y allí, donde convergen todas las líneas de atención, se sienta él, adoptando a veces la pose de la "gallina empollando", que es sentarse con todas las patas debajo del cuerpo y hacerse una compacta bola de pelos. Otra manera de atraer la atención cuando ésta es monopolizada por un periódico, por ejemplo, es venir a sentarse precisamente sobre la noticia que está uno leyendo. Cómo consigue tal precisión, es uno de sus misterios. Otro misterio suyo es saber, como él lo sabe, quién viene a la casa. Aunque vivimos en la planta baja de un edificio de cuatro pisos, donde entra y sale mucha gente, Offenbach sabe siempre cuándo es Miriam Gómez o Carolita, por ejemplo, quienes vienen, y aunque ha estado semidormido hasta ahora va corriendo a la puerta del apartamento a saludar a quien llega. Este alarde de presciencia se hace particularmente agudo cuando se acercan las cuatro de la tarde, hora de la comida. Entonces Offenbach espera el regreso de Carolita de la escuela o acosa a Miriam Gómez por toda la casa para obtener su cena rápidamente.

Siempre se acerca él a la puerta a saludar a quien llega, después que la puerta se ha abierto —excepto cuando se trata del limpiador de ventanas, de quien corre a esconderse debajo de la cama, reptando hasta ocultarse del todo y sin salir de allí hasta que se va el limpiaventanas—. ¿Qué ocurrió entre Offenbach y el limpiador de ventanas? Nadie lo sabe. Este misterio se hace más espeso cuando digo que antes eran dos los limpia-ventanas y llegaban con su escalera ambulante especial y terminada en punta. Pensamos que tal vez Offenbach le tenía miedo a esta escalera extraña, tan diferente a la escalera propia, donde él se sube el primero cuando la abrimos por cualquier motivo. Pero luego vinieron otros limpiadores sin escalera, y su miedo era igualmente pánico. Ahora es otra persona el limpia-ventanas, un muchacho como de unos veinticinco años: a él también le tiene terror Offenbach. Quizás un día desvelemos el espeso misterio: ¿trauma infantil?, ¿atavismo?, ¿reacción pavloviana? Tal vez ni Pavlov, ni Freud, ni siquiera Lorenz, puedan explicar este comportamiento: Offenbach nos tiene acostumbrados a más de una muestra de conducta desusada en un gato. He aquí unas pocas.

Cuando alguien llega a la casa de visita y se queda solo en una habitación, Offenbach nunca se va de allí hasta que volvemos a la reunión. Nosotros bromeamos que es él nuestro gato-policía, pero hay más que una broma en su costumbre de no dejarme trabajar tarde en la noche, como yo acostumbraba, y el hábito gemelo de despertarme con un maullido particular a las nueve cada mañana. O su extraordinaria habilidad para abrir puertas. O su peculiar sentido del humor. Sabido es que los gatos son animales sin humor, que se toman terriblemente en serio y que no soportan, como los perros, las bromas. Offenbach no es menos gato que los demás a este respecto, lo que sí es curioso es verlo gastándonos bromas. Para mí él tiene reservada una particularmente apropiada. Cada tarde, después del almuerzo, yo me siento a leer los periódicos y revistas en una silla en la sala. Esta es mi silla. Todos lo saben, incluso Offenbach. Pero en sus días jocosos no es raro verlo correr hacia la silla en cuanto me ve terminar de almorzar y encaminarme hacia ella para sentarse antes que yo. Su broma se continúa por su completa posesión del mueble, agarrado a sus travesaños como un náufrago a una balsa. Si intento levantarlo tendría que levantar la silla junto con Offenbach. La broma culmina siempre con la llegada providencial de Miriam Gómez que me conmina por todos los medios a dejar a Offenbach ocupar mi lugar: su diversión favorita.

Otra costumbre favorita de Offenbach es ocupar mi silla de trabajo. Esta queda trabada debajo de la mesa de manera que más parece una gaveta que una silla: muchas veces cuando yo vengo a trabajar me encuentro la "gaveta" ocupada. Tengo entonces que cargar a Offenbach como si fuera un niño y depositarlo junto a la calefacción y debajo de mi mesa y además convencerlo con palabras *ad hoc* de que no debe irse: nadie comprende, hasta que tiene uno, la extrema susceptibilidad de los gatos.

Offenbach hace una tercera comida al día: ésta es la comida compartida con nosotros su familia. Pocos minutos antes de la hora de la cena él se sube a la mesa y sentado hierático espera a que se sirva la comida. Casi nunca dice nada, excepto por un leve bostezo de aburrimiento cuando a veces la comida tarda demasiado. Cuando la mesa está servida, él mira sentado uno a uno a los comensales, todavía esperando. Offenbach espera ser alimentado de lo que comamos nosotros y, aunque rechaza toda carne que no sea conejo en su comida de por la tarde y pescado en la de por la mañana, él acepta comer de lo que comamos: pollo, carne de vaca, ternera, cordero,

puerco, etc., etc. Muchas veces ha llegado a comer de
la salsa preparada por Miriam Gómez y otras veces ha
comido hasta papa y arroz, para desmentir a los que
creen que los gatos no pueden ser vegetarianos: Offenbach, en la mesa, se muestra omnívoro. Es más,
su amor por la comida compartida lo ha llevado hasta
comer de nuestros postres: una hazaña increíble para
todos los que saben que los gatos detestan el dulce, ya
que sus papilas gustativas rechazan el sabor dulce
tanto como las nuestras rechazan el sabor amargo. A
veces, cuando la comida es totalmente vegetariana,
Miriam Gómez le prepara a Offenbach un platillo con
crema de leche, que él bebe sobre la mesa. Siempre
que prueba de nuestra comida, va de comensal en
comensal pidiendo silencioso, sin jamás mendigar,
como haría un perro. Cuando ha probado de todos
los platos, se baja de la mesa tan silencioso y rápido
como subió a ella. Lo más curioso es saber que Offenbach sube a la mesa solamente por las tardes, ya que al
mediodía siempre almorzamos ligero: una sopa, un
sandwich, una tortilla: comidas todas que no tienen el
menor interés para él. Su momento malo en la mesa
llega cuando tenemos visita a comer: hay que
encerrarlo en un cuarto hasta que esté terminada la
cena. Es entonces que sale y se refugia en cualquier
rincón, lejos de los seres humanos que lo han
ofendido relegándolo a su ostracismo.

Offenbach y el universo

Alguien me preguntaba una vez cómo había
afectado mi vida la llegada de Offenbach. Dije o creo
que dije que mi vida se podía dividir en antes y

después de Offenbach. Lo mismo ocurre con la llegada de mi mujer, Miriam Gómez, a mi vida, o de mis hijas. Pero estos últimos son cambios previsibles. El cambio con la llegada de Offenbach fue totalmente inesperado: yo estaba dispuesto a tolerar un gato en la casa, pero nunca imaginé una asociación tan intensa como la que hemos trabado Offenbach y yo. Mi amor por esas doce libras de pelo, garras y ojos azules llega a dividir los visitantes a mi casa en dos categorías: los que admiran y los que desdeñan, aunque sea levemente, a Offenbach. Los primeros se convierten ipso facto en amigos a pesar de que su incidencia sea tan mínima como la de un técnico desconocido que viene a arreglar la televisión. Los segundos pasan a ser cuestionados en seguida —aun después de años de amistad intensa—. Para mí el mundo se ha dividido en dos clases de personas: las que aman a los gatos y las otras. Las otras personas no saben lo que se pierden con no tener relaciones con un gato. A estas últimas les recomiendo adoptar un gato desde ya y, de ser posible, adoptar un siamés, que son a los gatos lo que los perros satos a los otros: los que más dan pidiendo menos.

A través de Offenbach he podido entender el mundo animal de nuevo, que estaba vedado para mí desde que me hice adulto y los problemas humanos vinieron a abrumarme, y a hacerme olvidar la sencilla vida animal, sus ciclos vitales y su ausencia de agonía: lo contrario de la agónica vida del único animal que sabe que se muere.

Offenbach es un animal feliz: sus exigencias son bien pocas y, aparte de una comida en la mañana y otra al final de la tarde, no exige otra cosa que lo que él mismo da a granel: cariño, una mano pasada por la cabeza y el lomo, una cepillada ocasional: atención. Pero a pesar de su humanización y de su reclusión hogareña, la vida de Offenbach está atemperada a los ciclos animales y universales: él y el cosmos son la misma cosa, y el gran abismo creado por la conciencia humana es franqueado por Offenbach todos los días con una sencillez admirable: el estoicismo animal es tan natural como la respiración.

¿Todo Offenbach?

Releo lo escrito hasta aquí y me abruma su inanidad: la incapacidad de mi escritura para atrapar la esencia de lo que es Offenbach. Quizás algunas anécdotas puedan si no llenar por lo menos rodear ese vacío.

Un día Néstor Almendros vino a Londres y, como estaban los hoteles llenos, se quedó a dormir en casa. A medianoche se despertó soñando que lo devoraba un tigre —y al despertar de la pesadilla se encontró con la cabeza de Offenbach que, sentado sobre su pecho, lo miraba dormir.

A Offenbach le gustan las escaleras, recuerdos tal vez de sus antepasados en las selvas siamesas. No hay para él mayor placer que Miriam Gómez saque la escalera de mano para alcanzar algún objeto del desván: en cuanto la abre, allí está Offenbach, salido de la nada, subiendo el primero los escalones como un trapecista ebrio.

Offenbach tiene un colmillo partido. Esto le ocurrió al tener un accidente de caza con una ventana: velaba allí unas palomas a las que Miriam Gómez había echado comida en el poyo y, después de muchos asedios y emboscadas, saltó Offenbach sobre la imagen de la paloma más cercana a través del cristal límpido, contra el que dio de boca, partiéndose un colmillo. Desde entonces se le conoce en la casa como el Jefe Colmillo Frágil.

La curiosidad de Offenbach no tiene límites animales: basta que alguno de nosotros se pare frente a las ventanas que dan a la calle, para ver a Offenbach, detrás y abajo, tratando de mirar lo que miramos por todos los medios, llegando a maullar para que lo carguen o a subirse sobre el televisor y alargando el cuello mirar él también lo que miramos.

Un día llegó a la casa la bella G. Ch., de visita breve, y Offenbach, tal vez reconociéndola, extremó su caminado a la Dietrich para emerger de la sala al estudio y para flechar para siempre a la visita: lo mismo hace con cada visitante receptivo a los gatos.

Ver lavarse a Offenbach es una muestra de elegancia suma. A veces adopta poses tan desusadas —una pata trasera extendida y agarrada por las dos patas delanteras, mientras con la otra pata debajo de sí guarda un equilibrio tan precario como elegante—. Verlo es creer que él sabe que ofrece un espectáculo inusitado: la pose natural imposible de alcanzar por el ser humano más afectado.

Ver comer a Offenbach o tomar agua es otro deleite; no puede haber mayor finura en actos tan animales. Su lengua sube y baja desde el agua con una regularidad metronómica, y, al comer, muerde gentilmente la carne y la engulle poco a poco, apenas masticada por sus débiles dientes.

Offenbach es un espectáculo digno de verse hasta durmiendo, sobre todo dormido. Los días de sol él se regala con la luz y el calor, estirando una pata hacia delante mientras coloca sobre ella la cabeza a manera de almohada. Los días fríos se recoge como una gallina empollando junto a uno de los radiadores, convirtiéndose en una verdadera bola de pelos, nada más que la cabeza saliendo de entre su abrigo natural. Otras veces coge de almohada los más disímiles objetos: el cable del teléfono, la pata de un radiador, el suelo mismo, mientras su cuerpo descansa sobre un cojín. Otras veces..., pero basta.

¿Es esto todo Offenbach? No: ni siquiera he comenzado.

OBRAS MAESTRAS DESCONOCIDAS

EL CONCERTO PARA EL PIE IZQUIERDO DE RAVELLI
(Morritz Ravelli's left foot piano concerto)

Fue en el verano de 1907 o en el invierno de 1908, de todas maneras poco antes del asesinato de Sarajebo [1], que el fallecido pero famoso compositor albano Morritz Ravelli encontró al legendario pianista manco Milo della Rabbia-Lupus en Mariemma, reponiéndose de unas fiebres palúdicas según las prescripciones de la medicina homeopática ("Similia similibus carantur!"), tratamiento ordenado por el doctor Schweitzer-Lagerbeer, médico y amigo y, como se sabe, apasionado de la música para piano-forte, instrumento para el que compuso su famosa sonata *La Passionaria,* dedicada a Alma Mahler-Gropius-Werfel cuando ésta era todavía amante del ya senil pero potente intérprete de sus propias melodías magiares para dos pianos, Franz

---

[1] Como se recordará, el asesinato del Grand Prix Sarajebo o Sarah-Jebó, Arquitrabe de Colonia, a orillas del lago Mareotis, desencadenó la Guerra de los Boxers.

Lusky, el injustamente olvidado compositor de *Gitane* (en húngaro *Tzigany)* y el poema sinfónico *Caporal (Der Klein Kaporal)* dedicado a la memoria de Hitler antes de hacerse coronar Führer y que llevaba entonces la hoy notoria pero borrada inscripción italianizante *Per festeggiare il souvenire d'un piccolo pittore.* Paseando los dos músicos y amigos por las orillas del pantano toscano junto al mar Tirreno y al sur del río Cecina, región fértil y muy poblada en tiempos etruscos y drenada por canales subterráneos invisibles a simple vista, que fue abandonada totalmente durante la Edad Media debido a la malaria y a la conocida ignorancia medieval, mezcla de superstición y desconocimiento de la biología de la bacteria, hasta que, a comienzos del siglo romántico, fue reclamada con éxito por la ciencia hidráulica y grandes áreas de las marismas palúdicas han sido convertidas hoy día en terrenos baldíos (cf. T. S. Eliot, *The Waste Land).* No así en tiempos de nuestros héroes musicales, ya que, según recuerda Anaïs Nin (como se sabe, hija y hermana de los también compositores Nin y Nin-Culmell, respectivamente) en sus *Memorias técnicas,* Della Rabbia-Lupus confió a Ravelli, a la sazón fatigado del paseo de más de diez kilómetros que habían tomado esa tarde como *constitucional* (Della Rabbia-Lupus fue siempre, hasta el fin de sus extremidades, un apasionado de la cultura física tanto como de la espiritual), sobre el playazo (*"sulla palude"*), su necesidad de regresar al piano y sentarse en la banqueta. "Tengo necesidad —dijo Della Rabbia-Lupus, con su dejo levemente rumano— de regresar al piano y sentarme en la banqueta!" "Lo comprendo —dijo Ravelli—, la música es un alimento espiritual." "Sí, es cierto —confió Della Rabbia-Lupus—, pero es que también estoy algo cansado. No sé por qué." "Lo comprendo —dijo comprensivo Ravelli—, la música es un alimento espiritual." Della Rabbia-Lupus miró a Ravelli y le dijo, súbito: "Es curioso", y se detuvo. "¿Qué es?", preguntó Ravelli, curioso. "Esta sensación recurrente de *dejàra* que padezco. Me pareció haber oído esas mismas palabras que usted ha dicho anteriormente." "Se trata entonces —dijo con sonrisa pedante Ravelli— de una sensación de *dejà-entendu*." "Tiene usted razón, querido amigo", dijo Della Rabbia Lupus, concediendo un punto, generoso como siempre. "Por otra parte —prosiguió Ravelli—, no me extraña que usted haya oído mis palabras antes: además de sinfonista sonado soy conversador citado. Tanto como Stravinski." ¿Stravinski?, se preguntó Della Rabbia-Lupus, que se preciaba de tener tono perfecto, y ya en alta voz: "¿Stravinski? ¿Quién es Stravinski?" "Ah, mi amigo, ha sido usted ¡cogido! Stravinski es un compositor ruso que se hará notar dentro de muy poco tiempo. En 1913, para ser exactos, cuando componga su *Sacre du printemps*. ¿Qué le parece eso como tema para una sensación de *dejà-joué,* también conocido como *future composé?*" "¡Fantástico!", exclamó Della Rabbia-Lupus. "Si no me lo dijera usted, cher ami, no lo creería, aunque lo oyera con mis propios oídos. ¿Le *Sacre du printemps,* dice usted?" "Sí." "¿Amontillado, dice usted? ¡Por el amor de Dios, Montresors!* ¿Se da cuenta de lo que está usted diciendo?" "Claro que sí, aunque mi nombre no es Montresors, sino Ravelli." "Tiene usted razón. Perdóneme, acabo de sufrir uno de mis frecuentes ataques de *dejà-écrit.* Como ve, soy un hombre muy

enfermo." "Ya lo veo. ¿Por qué no regresa usted a la
sala de conciertos y se sienta al piano? Tiene usted
todavía entre sus seguidores no pocos fanáticos y
algunos escépticos, por no hablar de los gnósticos,
secta que como se sabe..." "Me ha convencido usted,
caro amico", dijo Della Rabbia-Lupus, interrumpien-
do a Morritz Ravelli en francés. "Volvamos."
"Volvamos, sí, ¡volvamos!"

Fue ya de regreso, recorriendo hacia atrás —proeza
gimnástica de la que Della Rabbia-Lupus solía hacer
exhibición cuando estaba entre amigos— el mismo
camino, que Morritz Ravelli recibió la petición de su
colega de que le compusiera un concierto para piano y
orquesta con la mano *(sic.)* derecha, ya que Della
Rabbia-Lupus había perdido la mano izquierda a
resultas de una discusión en una tertulia madrileña, en
la que había sustituido esa tarde como hombre
porfiado al dramaturgo Valle-Inclán, quien, cosa
curiosa, perdería la mano izquierda también a resultas
de otra discusión de tertulia de café más tarde. ¿O tal
vez fuera esa misma tarde?[2]

Ravelli cumplió, como otras veces, su comisión con
tal de cobrar su comisión, ambigüedad paronomásti-
ca a la que era adicto. Desgraciadamente, Della
Rabbia-Lupus se negó a tocar el concierto una vez
copiadas las partes, no porque objetara su dificultad,
como se ha rumorado insistentemente, sino porque
había perdido en El Interim[3] su mano derecha.

---

[2] Datos tomados de *Piano y forte: Historia de la música para
pianoforte en el siglo XVII,* por Adolfo Sol Azar, en diez tomos,
tomos II y V, Ediciones La Tertulia, La Habana, 1939.
[3] Sangrienta refriega cerca del café El Interim, no lejos de La
Gazza Ladra, trattoria en A' Rabbia Pseudita, de donde es oriunda
la familia del pianista.

Ravelli, ni corto ni perezoso —más bien largo y diligente, como era en la vida real— re-orquestó el concerto (no sin antes habérselo ofrecido en venta, sucesivamente, a Valle-Inclán, que no amaba la música: más bien la odiaba, y a Vincent van Gogh, que tenía peor oído que oreja) cambiando las partes de piano de la mano derecha al pie izquierdo y viceversa. Volvió, pues, a Della Rabbia-Lupus, población no lejana al castillo del músico venezolano que lleva su nombre, Raynaldo Hahn Castillo, donde vivía Della Rabbia-Lupus a la sazón.

Pero volvió tarde. Della Rabbia-Lupus, amigo de más de una reyerta, había perdido primero una pierna en una taberna y después la otra en otra. Acosado por semejantes infortunios Bonanovas y no pocos acreedores, decidió terminar sus días acompañado por Toulouse-Lautrec, un enano de aldea de la aldea vecina que recibió este apodo por su asombrosa facilidad para imitar a Toulouse-Lautrec, por lo que su nombre debe ponerse entre comillas siempre para evitar falsificaciones.

Los días finales de Della Rabbia-Lupus están sumidos en la oscuridad, ya que dormía de día y salía de noche, a beber ajenjo, con su amigo "Toulouse-Lautrec", hasta que esta siniestra bebida alcohólica de color verde opalino fue prohibida por ley especial del parlamento rumano en 1937. Muchos de los que lo conocieron entonces dicen que Della Rabbia-Lupus había perdido algo de su fabulosa destreza sobre las teclas con la pérdida de sus manos y brazos y pies y piernas en sucesivas riñas de café, pero que nunca se dejó ganar por la envidia del piano, ya que hacia el final de su vida solía rodar, alegre, sobre las teclas negras, arrancando al noble instrumento de percusión por cuerdas los más exquisitos *glissandi*.

En cuanto al *Concerto para el pie izquierdo* en sí, hay que decir, no sin pena ni gloria, que Morritz Ravelli, en la avidez fiduciaria a que son tan adictos los hombres de su raza, lo devolvió a su forma primitiva de simple concierto para la mano derecha. Luego, y ante sucesivos clientes, devino vulgar concierto para la mano izquierda y aun vulgarísimo concierto para las dos manos, cambiándole el hebreo Ravelli su título cada vez a conveniencia y habilidad del cliente, y hoy día no hay manera de distinguir este concierto para piano y orquesta de Ravelli de otras piezas musicales, a menos que se diga el título y el nombre del compositor. Así, el opus que fue creación única de Milo della Rabbia-Lupus ha pasado a formar parte del repertorio de las orquestas de concierto y de tantos ejecutantes adocenados que tocan el piano a dos manos.

La próxima semana:

LA MUSICA DEL AGUA DE SELTZER
(Gregorio Seltzer's water music)

LAS MUY INQUISITIVAS AVENTURAS
DE DON ARCHIBALDO LYALL
POR LOS DUROS DOMINIOS DE CASTILLA
LA FONETICA

(Fragmentos)

DISPENSAYMAY, kay ora ess? Moochass grahtheeahss. Ah kay ora saleh el bookeh pahra — oy? Ah kay ora lyayga el trayn a — manyahna?

. . . .

Estah dessockoopahdo esteh assee-ento? Keereh dahrrmeh lah leesta day lahss komeedahs, senyoreeta?

. . . .

Lah kwentah, kahmarairo, prawnto, por fahvor. Estah inklooeedo el sairveethyo? `

. . . .

Bwaynohss deeahss, kwahnto vahleh esto? Ess day-mahsseeahdo. Lo see-ento moocho. Ahdeeohss!

. . . .

Bwaynohss deeahss, por dondeh say vah ah lah Plahtha day lah Kahtaydrahl? Estah therrahda esta manyahna lah eeglayseea vee-ahya? Ah kay ora say ahbreh esta tharrdeh?

. . . .

COGITO INTERRUPTUS

(APOSIOPESIS)

LAS RELIGIONES, todas, hablan del alma inmortal, del más allá espiritual, de la subida al cielo o de la caída al infierno y de la ronda eterna de las almas en pena, pero es el espíritu que muere primero. El ánima: el alma: el ser: el élan vital, según Bergson, o el prajna, según Buda, muere antes que el cuerpo, que por lo menos queda ahí inerte/inerme pero no mucho más indefenso que en el sueño o en un desmayo o en estado de coma, y se va pudriendo la carne, sí, se la comen los gusanos, pero *lentamente,* y pueden pasar meses, años, siglos sin que el cuerpo se acabe si no interviene el fuego. Mientras que el espíritu se acaba así, ¡zas!, de pronto, como se apaga un bombillo que está encendido ahora, alumbrando intenso este minuto y al minuto, no: al segundo, al instante siguiente está apagado para siempre y como un bombillo yo estoy vivo y —*hey presto!*— me acabo, termino, finis, fuit!, me voy al car

ROMPECABEZA

¿Quién era Bustrófedon? ¿Quién fue quién será quién es Bustrófedon? ¿B? Pensar en él es como pensar en la gallina de los huevos de oro, en una adivinanza sin respuesta, en la espiral. *El era Bustrófedon para todos y todo para Bustrófedon era él.* No sé de dónde carajo sacó la palabrita —o la palabrota—. Lo único que sé es que yo me llamaba muchas veces Bustrófoton o Bustrófotomatón o Busnéforoniepce, depende, dependiendo y Silvestre era Bustrófenix o Bustrofeliz o Bustrófitzgerald, y Florentino Cazalis fue Bustrófloren mucho antes de que se cambiara el nombre y se pusiera a escribir en los periódicos con su nuevo nombre de Floren Cassalis, y una novia de él se llamó siempre Bustrofedora y su madre era Bustrofelista y su padre Bustrófader, y ni siquiera puedo decir si su novia se llamaba Fedora de veras o su madre Felisa y que él tuviera otro nombre que el que él mismo se dio. Me imagino que sacó la palabra de un diccionario como del nombre de una medicina (¿ayudado por Silvestre?) tomó lo del continente de Mutaflora, que era la bustrofloresta de los bustrófalos.

Recuerdo que un día fuimos a comer juntos él, Bus-

trofedonte (que era el nombre esa semana para Rine,
a quien llamaba no solamente el más leal amigo del
hombre, sino Rineceronte, Rinedocente, Rinedecen-
te, Rinecente, como luego hubo un Rinecimiento seguido del Rinesimiento, Rinesimento, Rinesemen-
to, Rinefermento, Rinefermoso, Rineferonte, Renofe-
rante, Bonoferviente, Buonofarniente, Busnofe-
dante, Bustopedante, Bustofedonte: variantes que
marcaban las variaciones de la amistad: palabras
como un termómetro) y yo, cuando aparecieron los
dos a buscarme al periódico me dijo, Vamos a una
bustrofonda, porque detestaba los restaurantes de
lujo y las lámparas de lágrimas y las flores de
papel, y llegamos y no se había sentado cuando llamó
al camarero. Bustrómozo, dijo y ya ustedes saben
cómo son los camareros en La Habana tarde en la
noche, que no les gusta que los llamen por su nombre:
ni camareros ni mozos ni dependientes ni cosas por el
estilo, así que vino el tipo con una cara más larga que
la cola de una boa y casi tan fría y escamosa, y
de veras que ya no era un mozo. Bustrósotros, dijo,
v-va, vamos a cocomer, dijo imitando un gago este
Bustrófunny-man y el camarero (o como se llame) lo
miró mortalmente, más víbora que boa o una víboa, y
yo me metí una servilleta de papel (era una fonda a la
moderna) en la boca para ahogar la risa, pero la risa
sabía nadar crawl, relevo australiano o de pecho y las
servilletas sabían a saliva de tigre y toca la casualidad
que B. que en ese momento se llamaba Bustrófate me
decía, Debíamos haber convivido a Bustrófelix, y yo
tenía la risa llegando a la presa de papel y él que me
pregunta, Eh Bustrófoto, y yo que le digo con la
servilleta en la meta de la boca, Fi flaro, y allá va la
servilleta como un volador de alcance intermedio

seguido por una carcajada supersónica que era una cadena de pedos bucales o vocales o bocales y el proyectiro que da, le cae al camarero en su cara, que toma todo el largo de su cara larga como pista de aterrizaje, que en un final da en diana de ojo ajado, y el tipo se niega a servirnos y se nos va de la vida como van las arenas al mar (música de Sabre Marroquín) y arma tremendo bochinche allá en el fondo del océano con el dueño poseidónico y nosotros en el más acá muertos de risa en la orilla del mantel, con este pregonero increíble, el heraldo, Bustrófono, éste, gritando, BustrofenóNemo chico eres un Bustrófonbraun, gritando, Bustrómba marina, gritando, Bustifón, Bustrosimún, Busmonzón, gritando, Viento Bustrófenomenal, gritando a diestro y siniestro y ambidiestro. Tuvo que venir el dueño que era un gallego calvo y chiquito y gordo, más bajito que el camarero, que al ponerse de pie al fondo no daba pie y parecía que se puso de rodillas, en Busto que anda.

—¿QUE OS PASA?

—Queremos (dijo Bustro tan tranquilo, de perfil) queremos quomer.

—Pero, haziendo burlas, amiguito, no se come.

—Y quién hizo burlas (preguntó Bustrófactótum y como él era un tipo largo y flaco y con muy mala cara y esta malacara picada por el acné juvenil o por la viruela adulta o por el tiempo y el salitre o por los buitres que se adelantaban, o por todas esas cosas juntas, se paró, se puso de pie, se dobló, se triplicó, se telescopió hacia arriba agigantándose en cada movimiento hasta llegar al cielo raso, puntal o techo.)

Y el dueño se achicó, si es que podía hacerlo todavía, y
fue el hombre increíblemente encogido, pulgarcito
o meñique, el genio de la botella al revés y
se fue haciendo más y más chico,
pequeño, pequeñito, chirriquitico
hasta que se desapareció por
un agujero de ratones al
fondo-fondo-fondo,
un hoyo que
empezaba
con
o

y me cordé de Alicia en el País de las Maravillas y se lo
dije al Bustroformidable y él se puso a recrear, a
regalar: Alicia en el mar de villas, Alicia en el País que
Más Brilla, Alicia en el Cine Maravillas, Avaricia en
el País de las Malavillas, Malavidas, Mavaricia,
Marivia, Malicia, Milicia Milhizia Milhinda Milindia
Milinda Malanda Malasia Malesia Maleza Maldicia
Malisa Alisia Alivia Aluvia Alluvia Alevilla y marlisa
y marbrilla y maldevilla y empezó a cantar tomando
como pie forzado (forzudo) mi Fi Flaro y la evocación
de Alicia y el mar y Martí y los zapaticos de Rosa,
aquella canción que dice así con su ritmo tropical:

> Laralaralara lararararará
> (afinando su guitarronca voz)
>
> *Voy arriba!* ¡Allá va eso!
>
> Bustrófueno mar tes fumas
> (f)arina fina y Philar
> (f)iero fallir afrenar
> suphón dillito dis phruta

Váyala fiña di Viña
deifel Fader fidel fiasco
falla mimú psicocastro
alfú mar scfú más phinas

AH NO pero no sirve: todo esto había que oírlo,
hay que oírlo, oírlo a él, como había que oír su
Borborigma Darii:

Maniluvios con ocena fosforecen en repiso.
Catacresis repentinas aderezan debeladas
Maromillas en que aprietan el orujo y la regona,
Y esquirazas de milí rebotinan el amomo.
¿No hay amugro en la cantoña para especiar el
   gliconio?

Tufararas vipasanas paloteabean el telefio.
La reata dc encellado, ¿no enfoscaba en el propíleo?
Ah, cosetanos bombés que revulsan cn limpión!

Tunantada enmohecida se fulmina en la diapente.
Pastinacas de diapreas opositan
El frimario mientras pecas de satirio
Afollaban los fosfenos del litófago en embrión.

No hay marisma!

Los ibídemes de prasma refocilan
En melindres y a su lado la gumía jaraneaba un
   notocordio
En trisagios de silbón.

Gurruferos malvaviscos
Juntamente en metonimias desancoraban la gabia
Para pervertir la espundia y abatanar el cahé.

¡No hagan olas!

Cachondeos poliglotos prefacionan el azur
Y amartelan el rehílo de alcatifas en palurdo,
Otrosíes de la fullona dorada en el conticinio.
¡Vale reis!
¿No entrelínean el dilúculo?
¡Prior pautado!

Volapiés de sonajeros atafagan el boquín
Y en las dalas, en las dalas de Gehenna
Recurvan los borborigmos de la simonía de abril.

    Y justamente en este mes aprovechó Rogelito Castresino para pasar por la calle y nos pusimos a cantar todas las variantes de todos los nombres de la gente que conocemos, que es juego secreto —hasta que vino el camamozo o como se llame a interrumpir la ceremonia y Bustrófedon lo saludó con lo que él llama, llamaba el pobre su namaste, pero hecha no con las palmas de la mano, sino con el dorso, así:

y pedimos la comida.

Bustrofrijoles dijo Bustrófedon dijo él mismo. Con arroz blanco traté de decir yo pero él dijo Bustrofilete dijo Bustrophedón-té dijo Bustrófedon dijo Bustrofricasé dijo Bustrofabio ay dolor bustrofueron en un tiempo, dijo porque era él siempre quien habló y lo dijo todo mirando al camarero cara a cara (o caracara), frente a frente, mirándole los ojos, los dos, porque todavía sentado era más alto que el otro de manera que se encogió un poco, generoso, y cuando terminamos pidió el postre también para todos. Todositario. Bustroflán, dijo y luego dijo, Bustrófeca y yo me metí por fin por medio rápido y dije, Forvapor o forpavor, no sé y no sé tampoco cómo salimos sin acusarnos alguien de terroristas por la implosión y la explosión y el estruendo de las rosas, risas, y cuando trajeron el café, antes, y lo tomamos y pagamos y salimos del restaurándo ya íbamos cantando las Variaciones Quistrisini (copyright, Boustrophedon Inc) de esa Cantata del Café que fue Bustróffenbach quien La compuso:

Yo to doró
to doró noño hormoso
to doró ono coso
ono coso co yo solo so
COFO
Ye te deré
te deré neñe hermese
te deré ene kese
ene kese kc ye sele se
KEFE
Yi ti dirí
ti dirí niñi hirmisi
ti dirí ini kisi

ini kisi ki yi sili sí
KIFI
Yu tu durú
tu durú nuñu hurmusu
tu durú unu kusu
unu kusu ku yu sulu su
KUFU
Ya ta dará
ta dará naña harmasa
ta dará ana casa
ana casa ca ya sala sá
CAFA

yo ofreciendo el acompañamiento rítmico imitando, demostrando que el hombre asciende hasta el mono, chimpanceando a Eribó, haciendo ruidos regulares (creo: estaba borracho y debía tener ritmo) con mis dedos y una cuchara y un vaso y luego afuera con las manos y la yema de los dedos y la boca y los pies de vez en cuando. Ah ah AH! cómo nos divertimos esa noche, carajo, esa Noche Carajo, de verdad que la gozamos y Bustrófedon inventó los trabalenguas más enredados y libres y simples del tipo En Cacarajícara hay una jícara que el que la desencacarajicare buen desencacarajicador de jícaras en Cacarajícara será, y todos esos *analavalanas,* como aquel tan viejo y tan bueno y tan eterno, clásico, de Dábale arroz a la zorra el abad, de los que inventó, en un momento, por una apuesta con Rine, estos tres: Amor a Roma, y: Anilina y oro son no Soroya ni Lina, y: Abaja el Ajab y baja lea jabá, que son simples pero no fáciles y son medio cubanos y medio exóticos o todo exóticos para un tercero equi(s)distante y me sorprendieron porque los pies re-forzados de Rine (dos, dijo Bustrófedon, el

derecho y el izquierdo, diestro y siniestro) fueron tres:
La Habana y la bandera española (¿por qué? porque
paseábamos por el parque Central entre los dos
centros, el gallego y el asturiano) y una mulata pasó, y
hubo otro pie (B. dijo que eran tres las patas forzosas
y que era ahora un cuadrúpedo, el Ñu o Gnu o Nyu)
que era nuestro tema eterno entonces, La Estrella, por
supuesto, y con ella Bustrofizo un anagrama (palabra
que descompuso en una divisa, Amarg-Ana) con la
frase Dádiva ávida: vida, que escrita en un encierro,
en la serpiente que se come, en el anillo que es ana era
un círculo mágico que cifra y descifraba la vida siempre que se empezara a leer una cualquiera de las tres
palabras y era una rueda de la ín-fortuna: ávida, vida,
ida, David, ávida, vida, ida, dádiva, dad, ad, di va:
comenzando de nuevo, rodando y rodando y rodando
hasta ir al Rrastro del Holvido desde donde podía
contarnos su historia (oyentes del Alma de las Cosas),
y que también y tan bien y tan(to) bien podía usarse
con La Estrella porque la palabra rueda, la fase, el
anagrama de doce letras que son doce palabras:

era una estrella y

sonaban siempre a diva.

Nos recitó grandes trozos no escogidos de lo que él
llamaba su Diccionario de Palabras A-fines y Ideas

Sinfines, que no recuerdo todo, por supuesto, pero sí
muchas de sus palabras y las explicaciones, no las definiciones que su autor intercalaba: abá, aba, ababa,
acá, asa, allá, Ada (hada), aná y Aya, y lamentando
de paso él que Adán no se llamara en español Adá
(¿se llamará así en catalá? me preguntó) porque
entonces no solamente sería el primer hombre sino el
hombre perfecto y declarando el oro el más precioso
de los metales escritos y el ala el gran invento de
Dédalo el artífice y el número 101 sea alabado porque
era, es como el 88 (loado sea) un número total,
redondo, idéntico a sí mismo la e-ternidad no lo
cambia y como quiera que uno lo mira es siempre él
mismo, otro uno, aunque decía que el perfecto-
perfecto era el 69 (para alegría de Rine) que es el
número absoluto, no solamente pitagórico (jodiendo
a Cué) sino platónico y (halagando a Silvestre: a
mystic bond of writerhood unía a esos dos) alcmeónico,
porque se cerraba en sí mismo y las sumas de sus partes
más la suma de la suma era igual (aquí Cué se iba) al
último número y qué sé yo cuántas complicaciones
numéricas que siempre ponían frenético a C y cuando
éste iba ya por la puerta B añadía con picardía cubana,
Y lo que sugiere caballeros, lo que sugiere.

Bustrófedon siempre andaba cazando palabras en
los diccionarios (sus safaris semánticos), cuando se
perdía de vista y se encerraba con un diccionario,
cualquiera, en su cuarto, comiendo en él en la mesa,
yendo con él al baño, durmiendo con él al lado,
cabalgando días enteros sobre el lomo de una (mata)
burro, que eran los únicos libros que leía y decía, le
decía a Silvestre, que eran mejor que los sueños,
mejor que las imaginaciones eróticas, mejor que el
cine. Mejor que Hitchcok, vaya. Porque el diccio-

nario creaba un suspenso con una palabra perdida en un bosque de palabras (agujas no en un pajar
que son fáciles de hallar, sino una aguja en un al-
filetero) y había la palabra equivocada y la palabra
inocente y la palabra culpable y la palabra-asesina y
la palabra-policía y la palabra-salvadora y la palabra
fin, y que el suspenso del diccionario era verse uno
buscando una palabra desesperado arriba y abajo del
libro hasta encontrarla y cuando aparecía y veía que
significaba otra cosa era mejor que la sorpresa en el
último rollo (en esos días estaba entusiasmado porque
había leído que adefesio venía de la epístola de San
Pablo a los efesios, y, decía Bustro, no a uno sino a
todos, Te das cuenta viejo que es un invento del
mismo culpable de tanta pareja infeliz y tanto
adulterio y tantos tangos, y que el matrimonio puede
ser el mayor adefesio, porque Bustrófedon era tan
enemigo del matrimonio (mártirmonio decía él) como
amigo de las casadas, perfectas o imperfectas del mar
Muerto y lo único que lamentaba era que el
diccionario, los diccionarios todos admitieran tan
pocas malas palabras y se sabía todas las que traían de
memoria (había una, olisbo por consolador, que lo
atrapó como un anzuelo y la tuvo clavada en boca
semanas y para fastidiar a Silvestre recordaba la
película italiana No hay paz entre los olivos con la
parodia No hay paja entre los olisbos) como se sabía
la definición, del diccionario de la Real Academia, del
perro: *M., mamífero doméstico de la familia de los
cánidos, de tamaño, forma y pelaje muy diversos,
según las razas, pero siempre con la cola menor que
las patas posteriores* (y aquí hacía una pausa) *una de
las cuales levanta el macho para orinar,* y seguía con
sus palabras felices:

Ana
ojo
non
anilina
eje (todo gira sobre él)
radar
ananá (su fruta favorita)
sos y
gag (la más feliz)

y estuvo a punto de hacerse musulmán por el nombre
de Alá, el dios perfecto, y se exaltaba con la poca
diferencia que hay entre alegoría y alegría y alergia y
el parecido de causalidad con casualidad y la
confusión de alienado con alineado, y también hizo
listas de palabras que significaban cosas distintas a
través del espejo.

mano/onam
azar/raza
aluda/adula
otro/orto
risa/asir

y señaló los cambios de sílabas mutantes como gato y
toga y roto y toro labio y viola en alquimias que no
acaban nunca, y habló y explicó y se explayó y
explanó (juego suyo) y jugó con las palabras hasta las
tres de la mañana (hora que supo porque tocaban el
vals Las tres de la mañana y esa noche fue idéntica a
otra noche en que molestó a Cué con su nuevo sistema
de numeración no continua basado en un refrán que
leyó (quizá B. prefi(ri) era decir oyó) no sé dónde de
que una cifra vale igual que un millón y dónde los

números no tienen un valor fijo o determinado por su
posición o el orden sino que tienen un valor arbitrario y
cambiante o totalmente fijo, y se contaba, por
ejemplo, del 1 al 3 y después del 3 no venía naturalmente el 4 sino el 77 o el 9 o el 1563 y en que dijo que
algún día se descubriría que todo el sistema de
ordenación postal era erróneo, que lo lógico sería
enumerar las calles y darle un nombre a cada casa y
declaró que la idea era paralela a su sistema de nuevo
bautizo de hermanos en que todos tendrían diferentes apellidos pero el mismo nombre, y a pesar
del encojonamiento (no hay otra palabra, lo siento)
de Cué fue una noche corta y feliz, divertidos todos
porque en el Deauville Silvestre escogió una carta
desechada por un coime amigo de Cué, el dos de
diamantes y dijo que él podía decir cuál era el derecho
o el revés de la carta, no el anverso o el reverso, sino
que sabía orientarla, ponerla de pie, fijarla, por mera
intuición, así dijo, ya que el dos de diamantes, como
se sabe, cae igual siempre y a Bustro le encantó
encontrarse con una capicúa gráfica y apostó que era
imposible que Silvestre pudiera destruirla sabiendo su
verdadera posición y Cué dijo que Silvestre hacía
trampas y Silvestre se molestó y Bustrófedon se puso
de su parte y lo salvó con su abogacía de que era
imposible hacer trampas con una sola carta y animó a
Silvestre a que nos hiciera el juego del polígamo (así
dijo) y Silvestre nos preguntó a todos, menos a B, si
sabíamos qué era exactamente un hexágono y Rine
dijo que era un polígono de seis lados y Cué que era
un sólido de seis caras y Silvestre dijo que era un
hexaedro y entonces yo cogí y lo dibujé (Eribó, claro,
no estaba: lo hubiera hecho él entonces) en un papel

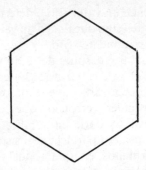

y entonces Silvestre dijo que era en realidad un cubo
que perdió su tercera dimensión y lo completó así

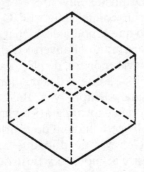

y dijo que cuando el hexágono encontrara su dimensión perdida y supiéramos cómo lo hizo, podríamos
nosotros encontrar la cuarta y la quinta y las demás
dimensiones y pasear libremente entre ellas (por el
Paseo de las Dimensiones dijo B. señalando hacia el
Paseo de las Misiones) y entrar en un cuadro,
pararnos sobre un punto, viajar del presente al futuro
o al pasado o a otro más allá con abrir una puerta
solamente, y Rine aprovechó para hablar de sus

inventos, como el de la máquina que nos convertirá en un rayo de luz (yo dije que también en un rayo de sombras) y nos enviará a Marte o a Venus (ahí quiero ir yo, dijo Vustrófedon) y allá lejos y hará tiempo otra máquina nos re-convertiría, haría de la luz luces y sombras sólidas y así nos convertiríamos en turistas espaciales, y Cué dijo que era la misma técnica de los puertos de escala y B. dijo que eran Las Esc-alas de Y-ser o Y-ver no Ibert, y Cué cometió el error (que B. escribía erorc) de contar que él había imaginado una vez un cuento de amor donde un hombre en la tierra sabía que había una mujer en un planeta de otra gala-xia (ya Bustro comenzó por decir, el camino de toda leche, traduciendo del latín o del griego) que lo amaba y él se enamoraba locamente de ella y ambos sabían que era el verdadero amor imposible porque nunca nunca se encontrarían y deberían amarse en el silencio de los espacios infinitos y claro Bustrófedon terminó la velada jodiendo a Cué al decir que eran Tri-star e Isonda, y ahí fue calabaza calabaza cada uno a su casa y el que no tenga casa que) que, cosa curiosa (curiocosa) encontramos en Las Vegas a Arsenio Cué, que nos estuvo evitando no invitando toda la noche porque estaba con una hembra vulgo lea, geva o ninpha (y si hablo como Bustrófedon ya para siempre no lo siento sino que lo hago a conciencia y a ciencia y lo único que lamento es no poder hablar de verdad y natural y siempre (siempre también para atrás, no sólo para adelante) así y olvidarme de la luz y de las sombras y de los claroscuros, de las fotos, porque una de sus palabras vale por mil imágenes), trigueña, alta, blanca muy blanca, linda, fotogénica, una modelo que era un cromo y Cué puso una cara de plomo y habló con su voz de radio y B. le dijo que el

club estaba lleno de elementos simples y lo
boncheamos saturnalmente y Bustro inventó allí
aquel slogan criminal de Arsénico para los Cué, que
nosotros convertimos en un himno de la noche hasta
que se acabó la noche y cuando yo quise seguir hasta
hacerlo un himno del amanecer en el trópico, Rine
dijo que así no valís y me callé y me caí y me cagué en
la cultura que siempre viene a interrumpir con su
metafísica la felicidad.

Esa fue la última vez (si olvido lo que quiero olvidar, por lo que hago este enorme paréntesis, para lo
que quisiera no tener memoria: la noche del sábado)
que vi vivo a Bustrofaón (como lo llamaba Silvestre a
veces) y si uno no lo vio vivo no lo vio, y fue Silvestre
en realidad quien lo vio por última vez, vivo. Antier
mismo vino este Bustrófilme que así se llamaba esa
semana para nosotros no para el siglo y me dijo que a
B. lo habían ingresado y yo pensé que se iba a operar
de la vista porque tenía un ojo malo, estrabiado,
perdido en la jungla de la noche, apuntando con un
ojo para el ser y con otro para la nalga, como decía
Silvestre siempre, o para la nada en realidad, y esta
visión de camaleón, total era un problema para su
cerebro y siempre tenía dolores de cabeza, grandes,
enormes jaquecas que él llamaba el pobre las
cefalalgias Brutales o las Bustrolalias cefálicas o la
Bustrocéfalolalias, y pensé ir a la clínica el lunes al
mediodía cuando saliera del turno de noche, que
Bustrófedon, más económico o menos desacertado,
llamaba el nocturno. Pero ayer martes por la mañana
me llama Silvestre y me dice, así de pronto, que
Bustrófedon se acaba de morir y sentí que el teléfono
me decía algo que era lo mismo para arriba y para
abajo, uno de esos juegos que él inventaba y me di

cuenta de que la muerte era una broma ajena, otra
combinación: esa capicúa que salía de los mil hoyos
(oyos) del teléfono, como una ducha de ácido
muriático, corrosiva. Y fue en el teléfono, casualidades o causalidades de la vida, que Bustrofonema, Bus-
tromorfosis, Bustromorfema empezó a cambiar el
nombre de las cosas, de veras, de verdad, enfermo ya,
no como como al principio que lo trastrocaba todo y
no sabíamos cuando era broma o era en serio,
solamente que ahora no sabíamos si era en broma,
sospechábamos que era en serio, que era serio, porque
ya no era solamente el feca con chele, que heredó del
lunfardo argentino en Nueva York (donde por cierto
lo conoció Arsenió Cué, que fue quien lo vio, quien lo
oyó primero), como del gotán, que es el reverso del
tango, derivó el barúm que es lo contrario de una
rumba y se baila al revés, con la cabeza en el piso y
moviendo las rodillas en lugar de las caderas o decir
sus Números (más después: ver adelante) que son
Américo Prepucio y Harún al'Haschisch y Nefritis y
Antigripina la madre de Negrón y Duns Escroto y el
Conde Orgazmo y Gregoru La Cavia y el epidíditsmo
de Panamá y William Shakeprick o Shapescare o
Chaseapear y Fuckner y Scotch Fizz-gerald y
Somersault Mon y Cleoputra y Carlomaño y
Alejandro el Glande y el genial músico bizco Igor
Strabismo y Jean Paul Sastre y Teselio y Tomás de
Quince y Georges BriquaBraque y Vincent Bongó
(jodiendo a Silvio Sergio Ribot más conocido como
Eribó gracias al B.) y querer escribir una roman a
Klee, y cosas así, como llamar Eutanasia a Atanasia la
cocinera de casa de Cassalis (para él la cassa de
Casalis) o las competencias con Rine Leal al que le
ganó una vez por una cabeza diciendo que los

ucranianos tenían la cabeza en forma de U y su verdadero nombre era ucraneanos o llegar y decir que venía implacablemente vestido cuando quería decir que estaba elegante o competir con Silvestre por ver quién hacía más variantes del nombre de Cué, por ejemplo, o ponerme a mí el seudónimo de Códac (suyo fue mi otro bautizo y la idea salió, ya revelada, de Kodak y así encubrió mi nombre prosaico, habanero con la poesía universal y gráfica) y saber, como sabía, todo lo que hay que saber del Volapük y el Esperanto y el Ido y el Neo y el Basic English, y su teoría de que al revés de lo que pasó en la Edad Media, que de un solo idioma, como el latín o el germano o el eslavo salieron siete idiomas diferentes cada vez, en el futuro estos veintiún idiomas (miraba a Cué cuando lo decía) y se convertirían en uno solo, imitando o aglutinándose o guiados por el inglés, y el hombre hablaría, por lo menos en esta parte del mundo, una enorme lingua franca, una Babel estable y sensata y posible, y al mismo tiempo este hombre era una termita que atacaba los andamios de la torre antes de que se pensara en levantarla porque destruía todos los días el español diciendo, imitando a Vítor Perlo (al que llamaba Von Zeppelin por la forma de su cabeza), decir sotifiscado y esóctico y dezlenable o decir que él tenía asexo a las interioridades de un asunto o quejarse de que no comprendían en Cuba su *apestoso* humor y consolarse pensando que sería alabado en el extranjero o en el futuro, Porque nadie, decía, es mofeta en su tierra.

Cuando terminé de oír a Silvestre, sin hablar, antes de colgar, colgando el negro, ya de luto, espantoso teléfono, me dije a mí mismo, Carajo todo el mundo se muere, queriendo decir que los felices y los amarga-

dos y los ingeniosos y los retardados mentales y los
cerrados y los abiertos y los alegres y los tristes y los
feos y los bellos y los lampiños y los barbudos y
los altos y los bajos y los siniestros y los claros y los
fuertes y los débiles y los poderosos y los infelices, ah
y los calvos: todo el mundo y también la gente que
como Bustrófedon puede hacer de dos palabras y
cuatro letras un himno y un chiste y una canción,
esos, también se mueren y me dije, Coño. Nada más.

Fue después, hoy, ahora mismo que supe que en la
autopsia antes del entierro, que me negué a ir porque
Bustrófedon metido allí dentro, en el atáud, no era
Bustrófedon sino otra cosa, una cosa un trasto inútil
guardado en una caja fuerte por gusto, allá, cuando
terminaron la trepanación del cráneo en forma de
interrogación de Bustrófedon y sacaron de su estuche
natural el cerebro y el patólogo lo tuvo en su mano y
jugó con él y escarbó y trasteó todo lo que quiso y
finalmente supo que tenía una lesión (él, el pobre,
hubiera dicho una lección) desde niño, desde antes, de
nacimiento, desde antes cuando se formó en que un
hueso (¿qué cosa, Silvestre Ycué: un aneurisma,
un embolismo, una pompa de la vena humorística?),
un nudo en la columna vertebral, algo, que le presiona-
ba el cerebro y le hacía decir esas maravillas y jugar con
las palabras y finalmente vivir nombrando todas las
cosas por otro nombre como si estuviera, de veras,
inventando un idioma nuevo —y la muerte le dio la
razón al médico que lo mató, que no lo asesinó, no,
claro, por favor, que ni siquiera quiso matarlo sino
que quiso salvarlo, a su manera, de una manera
científica, de una manera médica, filantrópico él,
humanitario, un Doctor Schweitzer que tenía su
Lambarene en el hospital ortopédico con tanto niño

deforme y tanta mujer tullida y tanto inválido a su entera disposición, que abrió el cráneo en forma de B para quitarle los dolores de cabeza, los vómitos de palabras, el vértigo oral, para eliminar de una vez y para siempre (tremenda palabra, eh: *siempre,* la eternidad, el carajo) las repeticiones y los cambios y la aliteración o la alteración de la realidad hablada eso que el médico llamaba, para darle a Silvestre en la yema del gusto, en el mingo hipocondríaco, en la costura científica, casi imitando al propio Bustró- fedón, pero claro con su patente de corso, el títu- lo para la trata de blancas y negras y mulatas, el D r y punto entre ornamentos y dibujitos y firmas que garantizan lo imposible, usando palabras mayores, técnicas, médicas confirmando eso de que todos los técnicos son mentirosos pero siendo creído siempre como siempre lo son los grandes mentirosos, diciendo en la jerga de Esculapio, con la piedra (¿filosofal o de toque?) de Galeno, diciendo "afasia", "disfasia", "ecololia", cosas así, explicando, muy petulante según me contó Silvestre, que era *Es decir, estrictamente, pérdida del poder del habla; del discernimiento oral o si se quiere y ya más específicamente, un defecto no de fonación, sino derivado de un disfuncionamiento, tal vez una des- composición, una anomalía producida por una patología específica, que ulteriormente llega hasta disociar la función cerebral del simbolismo del pensar por el habla, o* —no nono no mierda ya está bien claro así como está y hay que dejarlo quieto, porque los médicos son los únicos pedantes elefantinos, los solos mamuts de la pedancia que quedan vivos una vez que se extinguieron en el MíoCideno Jaimes Joiyce y Eesra Pounk y Adolfo Solazar. Esos son los pretextos

hipócritas, el diagnóstico encubridor del crimen
perfecto, el alibí hipocrático, la coartada médica,
pero lo que en realidad quería era ver en qué rincón
del cráneo de Bustrófedon, del Búcraneo como lo
llamó tan bien Silvestre el Discípulo, en qué sitio,
conocer el asiento particular de aquellas transforma-
ciones maravillosas de la bobería y el lugar común y
las palabras de todos los días en los dichos mágicos y
nocturnos del Bustro, que ni siquiera se pueden
conservar en un envase con formol nostálgico porque
yo que soy quien más anda, andaba con él, soy un
malo conservador de las palabras cuando no tienen
directamente que ver con la foto que aparece arriba y
aun entonces es un cojo pie de grabado que siempre
me corrigen— como esto. Pero si los juegos se perdieron, los dicharachos como decía la madre de Cassalis y yo no sé repetirlos, no quiero olvidar (tanto
que las conservo: no en la memoria memoranda de
Silvestre ni en el rencor neurálgico de Arsenio Cué ni
en el homenaje crítico de Rine ni en la exacta reproducción fotográfica que nunca pude hacer, sino en mi
gaveta, únicas entre los negativos de una negra
memorable, la foto, el affidavit desnudo de sus carnes
blancas al trasluz, rubensianas como diría Juan
Blanco y una o dos cartas que no tienen otra
importancia que la que tuvieron entonces y el
telegrama del estribo de Amapola del Campo, Dios
mío qué seudónimo, el telegrama un día azul y ahora
amarillo que todavía dice en un español aprendido
por radio: el tiempo y la distancia me hacen
comprender que te he perdido: escribir eso, señores
del jurado, y dárselo al hombre del telégrafo en
Bayanno ¿no demuestra que las mujeres o están todas
locas o tienen más cojones que Maceo y su caballo

heroico?) sus parodias, aquellas que grabamos en
casa de Cué, que grabó Arsenio mejor dicho y luego
yo copié y nunca quise devolver a Bustrófedon,
menos después de la discusión con Arsenio Cué y la
decisión violenta de los dos de borrar lo grabado
—cada uno con razones diferentes y opuestas. Por eso
guardaba eso que Silvestre quiso llamar memorabilia,
que ahora devuelvo a su dueño, el folklore. (Linda
frase ¿verdad? Lástima que no sea mía.) *

* De TTT: *Tres Tristes Tigres*. Ed. Seix Barral, Barcelona, 1965.

ORIGENES

(Guillermo Cabrera Infante ha ampliado para este libro su Cronología titulada "Orígenes", desde finales de 1965, con el título
"Rompiendo la barrera del ruido".)

ORIGENES

(Cronología a la manera de Laurence Sterne)

Año	Edad
1929	0

22 de abril: Nace en Gibara, pequeña ciudad en la costa norte de la provincia cubana de Oriente. Segundo hijo y primer varón de Guillermo Cabrera, periodista y tipógrafo, y Zoila Infante, una belleza comunista. (Sus padres habrían de convertirse de hecho en miembros fundadores del partido comunista local, dotando a la criatura con suficientes anticuerpos comunistas como para estar efectivamente vacunado de por vida contra el sarampión revolucionario; una hazaña reaccionaria, si uno toma en consideración que nada menos que Vladimir Ilych Ulyanov nació en la misma fecha.)

29 días

Va al cine por primera vez con su madre, a ver *Los cuatro jinetes del Apocalipsis* ("reprise").

1932   **3 años**

Ve aguacates cayendo del cielo, bombas arrojadas por orden del general Machado (uno de los tantos tiranos que esa "larga isla infeliz" ha tenido que sufrir en este siglo) para sofocar una rebelión local, y Gibara se convierte en la primera ciudad de América bombardeada desde el aire. Su padre y un tío materno pelean con los rebeldes. Comienza a gozar, pero no todavía a leer los *monitos* (los muñequitos): *Benitín y Eneas, Los sobrinos del capitán, La gatita del Tobita,* etcétera.

1933   **4**

Nace su único hermano, en el cuarto mes del año y cuatro días antes del cuarto cumpleaños de GCI, enseñándole que hay más magia que meras matemáticas en los números. Al mismo tiempo descubre la anatomía, con resultados casi catastróficos. Decepcionado al tener un hermanito, en vez de una hermanita, trata de eliminar la diferencia con un par de tijeras.

Debe interrumpir su educación para ir al Kindergarten. Odia la experiencia tanto, que se enferma violentamente y no podrá asistir a la escuela más por dos años.

1934   **5**

Se enseña a sí mismo a leer, al concentrarse en descifrar los globos cautivantes de *Dick Tracy* y *Tarzán.*

1935   6

· Empieza la escuela primaria en Los Amigos, escuala cuáquera. Encuentra las canciones de domingo agradables, aunque los cantantes no tengan ritmo.

Un día viene su madre y no su padre a buscarlo a la escuela. No van derecho a casa sino que dan un largo paseo por la orilla del mar. Otro día encuentra su casa herméticamente cerrada al mediodía. Todavía otro día halla trazas de humo y cenizas y colillas en la casa de sus padres, que no fuman. Finalmente aprende lo que quiere decir la frase *reunión clandestina*.

1936   7

Vísperas del Primero de Mayo. Se despierta para presenciar un acto de astracán político. Su hermano de tres años y su madre entran corriendo a la casa, perseguidos de cerca por dos guardias rurales que enarbolan revólveres. Arrestan a su madre, y su padre, ausente momentáneamente, se entrega más tarde esa mañana. El astracán se convierte en tragicomedia. Sus padres son trasladados a la cárcel de Santiago de Cuba, a unos quinientos kilómetros de Gibara, escapando casi de milagro a la ley de fuga, mientras los rurales confiscan todos los libros encuadernados en rojo en la biblioteca de su padre: la autoridad confundiendo por primera vez en la vida de G. C. I. la política y la poesía.

Mientras sus padres pasan varios meses en la cárcel, él se enamora por primera vez de una prima cautivadoramente bella. Ella le abre a él la caja de Pandora. Descubre el amor y el sexo, pero, ¡ay!, también los celos, la traición y el odio.

1937

8

A su regreso de la prisión, su padre se encuentra sin trabajo y debe convertirse en tenedor de libros. La paga es tan poca y la familia vive tan apretada que empiezan a pensar en emigrar.

1938

9

Mientras está de expedición montuna buscando yerbas para una chiva de la familia, por poco mata a su hermano al pegarle accidentalmente en la cabeza con un machete.

1939

10

Siguiendo los "dictados del partido", sus padres cambian de opinión con respecto a su antiguo azote, el coronel Batista. Otras lecciones de política: su madre llora ante la caída de Madrid, pero cuando Hitler y Stalin se ponen de acuerdo para desmembrar a Polonia, su padre escribe discursos urgiendo a Cuba (y, supuestamente, al mundo) a no enredarse en la "Guerra Imperialista". Más tarde sus padres —y el Partido— hacen campaña pro Batista presidente.

1940

11

Una segunda niña nace al matrimonio sin hijas. (La primera hija, nacida un año antes que G. C. I., se estranguló con su cordón umbilical.)

Se ha convertido ahora en un cazador apasionado, aunque tiene una puntería terrible. Un día, sanguinario, mata varios pájaros en su nido, sordo a los ayes de la pájara revoloteante alrededor del nido. Dos días más tarde muere su hermana de septicemia por un ombligo infectado. Por primera vez asocia el crimen, la culpa y el castigo con un juez omnisciente y terriblemente vengativo. Su padre marcha a La Habana en busca de trabajo.

1941 **12**

Después de pasar mucha miseria, el resto de la familia emigra a la capital. Deja detrás una niñez pobre, pero feliz (una familia grande en una casa grande, amigos, todas clases de *pets,* el campo abierto), para encontrar una igualmente pobre, pero infeliz adolescencia. Al mismo tiempo se embarca en su más grande aventura: la vida en una gran ciudad.

1942 **13**

Una puta generosa, solamente dos años mayor que él, lo introduce al secreto arte de la masturbación.

De vacaciones en su pueblo, descubre los viejos libros de su padre —en realidad, una biblioteca heredada de su tío, el intelectual del pueblo, que escribía bajo el seudónimo de "Sócrates"—. Entre estos libros encuentra su primera literatura erótica: una edición española sin expurgar del *Satiricón,* de Petronio.

1943 **14**

Comienza el Bachillerato. Coexisten en él un buen estudiante haragán con un fanático, pero mal jugador de pelota.

1944-45   **15**

Mientras la vida del pueblo natal se reduce a memorias (primero muere su perro, dejado atrás; luego, su
abuelo; después, su legendario bisabuelo), La Habana
se vuelve la metrópolis, el mundo, un cosmos en sí.

Ansioso por leer las revistas americanas que le
regala una vecina bondadosa, comienza a estudiar
inglés por las noches.

1946   **17**

Un notable profesor —snob y mal actor, pero con
las aulas siempre llenas— lo infecta sin querer con un
virus literario. Predecible: es la historia conmovedora
de la fidelidad de un perro hacia su amo errante lo que
le hace consciente de los Clásicos. Nombre del perro:
Argos.

Se vuelve un lector ávido, y mientras su interés en la
literatura crece, el estudiante holgazán se vuelve indiferente hacia otras asignaturas. Finalmente, la literatura le gana a todo —incluyendo el béisbol.

1947   **18**

Después de leer *El señor Presidente,* el lector se
murmura: *"Anch'io sono scrittore",* en cubano, por
supuesto, y para probarlo escribe en imitación un
cuento terriblemente mediocre —que, para su
asombro, es publicado por *Bohemia,* entonces uno de
los principales magazines de América Latina—.
Mientras tanto, la hospitalidad de su madre ha hecho
de su casa —o mejor dicho, cuarto— lugar de reunión
de los jóvenes escritores y artistas que gravitan

alrededor del periódico comunista *Hoy,* en el que su padre trabaja desde su fundación en 1940. La mayoría de estos jóvenes se pelearán con el Partido al poco tiempo, pero seguirán visitando Zulueta 408 para tomar café y conversar en una casa presidida por un cuadro de Jesús Sangrando y una foto del Sangriento José (Stalin).

Visita un burdel por la primera vez. Desalentador encuentro con una puta (falsa). Comienza a usar espejuelos.

1948   **19**

Un año terriblemente decisivo. La broma literaria jugada a Asturias se vuelve contra su creador y lo que comenzó como un pasatiempo se vuelve afición, luego hábito, más tarde obsesión. Un bacilo sin identificar —y tal vez muy conocido— lo aleja de las aulas y le hace perder la mayoría de los exámenes. El catarro perenne de su hermano es diagnosticado como tuberculosis. Habiendo soñado un día con estudiar Medicina, visita la Facultad Médica y se espanta con las hileras de cadáveres a la espera de ser elegidos por la breve y formolizada posteridad de una lección de anatomía; es apabullado por su obscena pasividad desnuda y por el olor, ¡el olor! Fin de una carrera que nunca empezó. Deja la escuela para pasar a ser secretario del jefe de redacción de *Bohemia.* Escribe lo que todavía considera un cuento perfecto.

1949   **20**

Funda un magazín literario que debió llamarse *La Vida Breve* en vez de *Nueva Generación.* Trabaja como corrector de pruebas en varios periódicos (entre ellos uno escrito en inglés: el *Havana Herald)* y como editor literario (fantasma) de la revista *Bohemia.* Muy breve (y de nuevo desastroso) encuentro con una trotacalles negra.

1950   **21**

Ingresa en la Escuela Nacional de Periodismo. Trabaja como investigador de encuestas, traductor, sereno. Piensa irse a la mar por breve tiempo. Primera experiencia sexual con éxito con una mujer adulta. Para su sorpresa eternamente divertida, ella es la antigua Muchacha Más Bella del Bachillerato (ahora casada), quien insiste en hacer el amor oyendo *El Mar,* de Debussy: un disco prestado en un tocadiscos también prestado.

1951   **22**

La familia deja el cuarto de La Habana para mudarse a un apartamento en El Vedado, después de una seria recaída de su hermano.

Funda con un grupo de amigos una sociedad literaria, *Nuestro Tiempo,* la que abandona muy pronto después de descubrir que se ha transformado en una organización-pantalla del Partido Comunista.

Persistiendo, crea con un grupo de fanáticos la Cinemateca de Cuba, hija de la Cinématheque Française.

Conoce a la muchacha salida de un convento que más tarde será su mujer.

1952 23

El infame segundo golpe de Estado de Batista echa por tierra sus esperanzas de votar por primera vez en su vida. Su pesar será eterno. Publica un cuento corto en *Bohemia* que contiene "English profanities", con resultados desastrosos. Es encarcelado, multado y forzado a dejar la Escuela de Periodismo por dos años.

1953 24

Como secuela de su prisión —o más bien como una continuación— se casa. Privado de usar su nombre en desgracia, escribe un artículo (¡en el XXV aniversario de Mickey Mouse!) usando un seudónimo que a alguna gente le parece un avatar. Uniendo la primera sílaba de su primer apellido con la primera sílaba de su segundo apellido surge Caín.

1954 25

Su antiguo jefe es nombrado director de *Carteles,* la segunda revista de Cuba. Todavía usando su nombre de capa y espada —*G. Caín*—, comienza a escribir una columna semanal sobre cine que se hace notoria en Cuba y en el área del Caribe.

Nace su primer hijo: una hija llamada Ana.

1955 26

Sale de Cuba por la primera vez en una solitaria visita a Nueva York. Como resultado, la *Cinemateca* se ve reforzada con films del Museo de Arte Moderno.

Para su asombro eterno, encuentra el adulterio mucho más fácil que el sexo prematrimonial: la culpa se hace cuita.

1956   **27**

Tratando de usar la *Cinemateca* como plataforma política, la mata. El Gobierno se incauta del club y finalmente lo deja morir.

1957   **28**

Ve a varios de sus amigos encarcelados o muertos por la Policía de Batista. Actividades clandestinas. Escribe para la prensa clandestina. Visita México por primera vez. Vuelve a Nueva York. Interrogado brevemente por el Buró de Represión de Actividades Comunistas acerca de su filiación política.

1958   **29**

Conoce a Miriam Gómez, una joven actriz que hace su debut en *Orpheus Descending,* de Tennesse Williams. Nace su segunda hija y es llamada Carola. Es repetidamente advertido por sus amigos y enemigos acerca del contenido político de su columna. Una delegación de jóvenes socialistas trata de convertirlo en el líder de una protesta autorizada. Su columna es censurada estrechamente. Escribe muchos de los cuentos y todas las viñetas políticas de *Así en la paz como en la guerra.* Prepara la primera reunión entre los comunistas y el Directorio Revolucionario. Pasa armas de contrabando a estos últimos. Prepara un viaje a la Sierra para él y dos periodistas americanos cuando Batista abdica, el 31 de diciembre.

1959 30

Por breves períodos sucesivos es editor del diario semioficial *Revolución,* jefe del Consejo Nacional de Cultura y ejecutivo del recién creado Instituto del cine. Más tarde funda *Lunes,* suplemento literario de *Revolución.* Viaja por U.S.A., Canadá y Suramérica en el *entourage* (¿o es *en toute rage?*) de Fidel Castro.

1960 31

Lunes comienza su *politique des auteurs politiques* invitando a Cuba a escritores de todos los colores —de Sartre a Sarraute a Sagan, de Le Roi Jones a Wright Mills—, mientras ayuda a disfrazar al país, cada vez más comunista, en una Revolución Original. Visita Europa (más la Unión Soviética, Alemania del Este y Checoslovaquia) con una delegación de periodistas virginales. Se divorcia. Deja de escribir críticas de cine para siempre. Publica *Así en la paz como en la guerra. Lunes* se ramifica hacia la televisión.

1961 32

Corresponsal de guerra en la guerrita de Bahía de Cochinos. Cuba se convierte (oficialmente) al socialismo. La Oficina de Censura del Cine (Instituto del Cine) prohíbe y después secuestra a *P. M.,* un corto que celebra la vida nocturna de La Habana en 1960, hecho por su hermano y previamente mostrado por *Lunes* de televisión. *Lunes,* el magazine, sus editores y colaboradores organizan una protesta escrita firmada por más de 200 escritores y artistas. El Gobierno decide posponer el Primer Congreso de Escritores y

Artistas de Cuba y apresuradamente monta una serie
de "conversaciones con los intelectuales" presididas
por Castro, secundadas por el Presidente Dorticos y
manejadas por los comunistas. Después de muchas
idas y venidas, el resultado de las "conversaciones"
(donde el grupo de *Lunes* parecía ser los únicos
escritores preocupados por la libertad de expresión
que quedaban en Cuba) es una sentencia antes del
veredicto: el secuestro del film es condenado oficialmente y el magazín es prohibido. Pero en el Congreso de Escritores y Artistas, apenas un mes más
tarde, G. C. I., desempleado, es elegido (como de
burla) vicepresidente de la Unión de Escritores y
Artistas.

Se casa con Miriam Gómez, ahora una exitosa
actriz de teatro, de televisión y del cine. Comienza a
escribir *Ella cantaba boleros* como continuación de
P. M. por otros medios. Eventualmente la novelita se
convertirá en *T.T.T.*

1962   33

Todavía desempleado, G. C. I. comienza a ser visto
como un exiliado interno. Prepara un libro con sus
críticas de cine y escribe para ellas un prólogo, un epílogo y un interludio, para convertir a *Un oficio del
Siglo XX* en una pieza de ficción ligeramente subversiva. El libro se propone probar que la *única* forma
en que un crítico puede sobrevivir en el comunismo es
como ente de ficción. A la manera bolchevique, es
desterrado de la capital política. Pero La Habana es
todavía una versión latina de Moscú y en vez de exi-
liarlo en Siberia es enviado de *attaché*-cultural a Bélgica.

1963 **34**

Así en la paz como en la guerra es publicada en Francia, Italia y Polonia y es nominada al *Prix International de Littérature,* ganado "ex aequo" por dos epígonos de Kafka.

1964 **35**

Aunque escrita en cubano, su primera novela —luego titulada *T.T.T.*— gana el más prestigioso premio para una novela en español. En un *coup d'été* que nunca abolirá el azahar, es nombrado encargado de negocios cubanos en Bélgica y Luxemburgo.

1965 **36**

Su libro es nominado al *Prix Formentor,* que es ganado en su lugar por una novela inolvidable, *The Night Watch* —no *The Night Watchman* (¿o será quizá *The Night Watchmaker?*)—. Regresa a Cuba el 3 de junio a los funerales de su madre. Se queda pasmado al encontrar que La Habana es una ciudad fantasma y apresura su regreso a Europa. Pero el Conde Oeste-Oeste tiene otros planes para él y le ruega al agrimensor quedarse para una entrevista, que es eternamente pospuesta por el Castillo. Sin embargo, G. C. I. no piensa que ha llegado a Kafkalandia. En realidad, después de ver a algunos de sus amigos espiritualmente decrépitos, que lo reconocen y luego mueren moviendo su rabo político, está convencido que ha regresado a Itaca. Aunque odia ver en lo que han convertido los pretendientes a su isla, aunque está mucho más aplastado al contemplar una Penélope loca que cada día teje un tapiz diferente, al que todos deben certificar como el original, se consuela memorizando el epitafio que Cavafy escribió para su isla: *Itaca te dio el bello viaje. Sin ella nunca lo habrías emprendido. Y si la encuentras pobre, Itaca no te ha defraudado. Con la enorme sabiduría que has ganado, con tanta experiencia, debes seguramente ya saber lo que significan las Itacas.*

Después de mucho vapuleo por los Robacadáveres deja La Habana —o más bien, Santa Mira— para siempre. Se ve corriendo cuesta abajo para decirles a todos los que encuentre en el camino acerca de la invasión de vainas políticas, pero nadie lo cree y todos se van corriendo inadvertidos, y es *El Fin.*

(Pero fue en verdad el principio. Lo que hizo en realidad fue tomar el avión de regreso a Europa, trayendo consigo a sus dos hijas, unos pocos manuscritos y tres fotos [o una sola foto de tres asuntos diferentes], más sabiduría y un puñado de recuerdos.) (Una vez en el avión, entre el ruido de los motores creyó estar oyendo un *jet de mots* —¿O era un *jeux de mottos?*)

(Insolencia)

(Exilios)

(Punning)

El resto es ruido.

ROMPIENDO LA BARRERA DEL RUIDO

Después del ruido,
entre el ruido,
en el ruedo del ruido.

1965

(Finales.) Recoge en Bruselas a Miriam Gómez y con ella y sus dos hijas se instala en Madrid, en la calle Batalla del Salado (que le suena a un cubano a Guerra Contra el Infortunio), y recibe el golpe de hados que no abolirá el ser de leer el manuscrito premiado ya en galeras y rechazado por la censura española. La procedencia de este rechazo no le impide ver que el libro es un fraude, que cuando lo compuso, su oportunismo político, una forma de ceguera picaresca, pudo más que su visión literaria —y se entrega al revisionismo antirrealista, rescatando a los verdaderos héroes del lumpen de entre el maniqueísmo marxista: completa TTT, devolviendo al libro no sólo su título sino su intención original—. Ahora está libre de todo compromiso que no sea estrictamente artístico. Entrega a su editor lo que parece un nuevo manuscrito ya entrado el 1966.

Recibe un extraño mensaje casi pascual por boca de su viejo amigo Alberto Mora, de que tanto Fidel

Castro como el entonces presidente Dorticós harían la
vista gorda ante la defección de su hermano (asilado
en Estados Unidos) y le garantizaban que las puertas
del regreso estaban abiertas cuando quisiera. Decide
que es una versión verbal de la carta belerofóntica.

1966   **37**

Se muda en Madrid, de la vecindad del Museo del
Prado a la alegre ribera del Manzanares, pero esta
mudada no le impide ver que vivir en Madrid es
habitar el patio de un convento —y nunca ha tenido
fantasías sexuales con monjas—. Las autoridades
españolas, mostrando una larga memoria, le niegan la
residencia en España, recordando los números de
Lunes dedicados a la literatura española en su doble
exilio, a la literatura internacional antifranquista y
una *Realidad* casi olvidada: la revista de París. Esos
policías de la cultura componen un nuevo refrán: a
enemigo que viene, puente de plomo. Viaja a
Londres, invitado por un amigo con delirio de
grandeza cinematográfica a escribir un guión que nunca se
hará cine, pero que le gana su primer dinero escribiendo para el cine en inglés. Es verano y el Swinging
London acaba de comenzar su balanceo carnal. Se
queda tan encantado con aquella visión —el
espejismo de un harén en medio del desierto doméstico— de muchachas inglesas desveladas contrastando
con las mujeres madrileñas casi veladas, que decide
escoger Londres como su hábitat. Regresa a Madrid
brevemente y vuelve a Londres. El dinero de otro
guión, que será años después una película tan mala
que insiste en retirar su nombre de ella, le consigue
trasladar a su familia a fines de año.

1967 **38**

Reside en lo que sería el polémico y notorio sótano de Trebovir Road, con su mujer y sus hijas, en extrema pobreza, solamente aliviada por las colaboraciones en *Mundo Nuevo* y la generosidad de dos amigos, uno de ellos un viejo colaborador de *Lunes,* Calvert Casey, que se le había unido en el exilio. Escribe otro guión que se transformará ese mismo año en una mediocre película, un *unfunny funny film, Wonderwall,* redimido solamente por la música de George Harrison. Pero el dinero ganado le permite mudarse para South Kensington, en el acogedor Gloucester Road. Gana más dinero con el cine y puede enviar a sus hijas internas a un convento en la costa. Ese año ocurre un acontecimiento extraordinario. Nada amante de los gatos en el pasado, la novia de su amigo director de cine le deja en préstamo un siamés de meses —y viene a la vida Offenbach, que se convierte no sólo en un gato mitológico, sino en uno de sus mejores amigos, un entenado, la relación más profunda que ha tenido con un animal este amante de los animales—. Offenbach también se muda pero clandestinamente *(no cats allowed)* para Gloucester Road. Menos importante acontecimiento: *Tres Tristes Tigres* fue publicado a principios de ese año.

1968 **39**

Conoce a casi todo el mundo que se mueva en el Swinging London y ve de la estofa y estafa que están hechos los espejismos: muchas de las muchachas sicadélicas y sicalípticas son de silicón, otras muchachas son en realidad muchachos. En un

artículo en *Mundo Nuevo* prueba y aprueba la pornografía velada de Corín Tellado. Una revista semanal,
muy popular en Sudamérica, lo entrevista y hace sus
primeras declaraciones políticas contra Castro: un
caudillo latinoamericano más puesto al día. En Cuba
lo declaran traidor y los fieles fidelistas de todas
partes aprovechan la ocasión para ajustar cuentas
literarias. Tan importante como su declaración de
fines es el anuncio, hecho en la misma revista, del
final del Swinging London —es el fin de una era.

1969   **40**

Escribe, muy al principio, un guión que se
convertirá en una película importante: *Vanishing
Point*. Pero más que el éxito literario continuado, que
la calumnia organizada, lo golpea el súbito suicidio de
Calvert Casey en Roma. Combate un ataque de
melancolía aguda jugando ajedrez con su hija
Carolita y viendo a Offenbach gozar el verano que
desmiente al Londres líquido.

1970   **41**

Viaja a Hollywood, después de vencer innúmeras
trabas para el visado americano: comprueba, como
una puta reformada, que será siempre un hombre con
pasado. Recorre el magnífico suroeste americano
—del Valle de la Muerte a Taos— buscando
locaciones para su película. Conoce a mucha gente del
cine, pero la cumbre del viaje es el encuentro con una
reliquia fílmica y una sacerdotisa del sexo: Mae West.
Al revés del personaje de Mark Twain que cruza la
línea del ecuador, no tiene fotografías para probarlo.
Viaja a Nueva York, su vieja metrópoli imperial, para

encontrarla una ciudad sucia. Escribe un guión para un productor de Hollywood con un salario fabuloso y comprueba que el dinero lo compra todo, menos la pobreza. Gana la beca Guggenheim.

1970

Se estrena *Vanishing Point* (llamada en otras partes no *Punto de fuga,* sino, agoreramente, *Punto límite cero)* y ve que el director ha recibido sus mensajes pero los ha leído al revés: en sus líneas el héroe era un chófer trágico, en este bustrófedon gráfico la tragedia le ocurre al automóvil. Lo que no impide que la película sea enormemente exitosa y que a la vez se convierta en un *cult film* —que no quiere decir un film culto, sino un film con culto—. Decide no escribir más para el cine y se concentra en *Cuerpos Divinos.*

1971   42

Se publica *Three Trapped Tigers,* versión de *Tres Tristes Tigres,* que es prácticamente el libro rescrito en inglés. La traducción francesa, *Trois Tigres Tristes,* obtiene en París el Prix du Meilleur Livre Etranger. Compone su entrevista para el libro *Seven Voices,* y esta confesión de agosto es una escandalosa revelación personal y política. Sus hijas, convenientemente educadas a la inglesa pero católicas, dejan el convento.

1972   43

Tentado por el director Joseph Losey, regresa al cine y escribe un guión basado en *Bajo el volcán.* El proceso de escribir bajo la doble presión del tiempo y la materia literaria, más la demencia adulta del personaje central, con el que debe identificarse, le producen un *nervous breakdown,* manera inglesa de diagnosticar la locura. Ingresa en un *rest home* (eufemismo inglés por manicomio privado) y es sometido a sucesivos electroshocks y a una cura intensiva por drogas. Al final de ese verano alucinante se suicida en Cuba su viejo amigo Alberto Mora —que es algo más que un shock más—. No obstante, antes de fin de año puede retomar partes del viejo manuscrito de *Vista del amanecer en el Trópico* y comienza a completarlo con una despiadada cronología de la violencia en la historia de Cuba —aun antes de su historia, todavía antes de su Historia.

1974   **45**

Luchando con la presión psíquica, presionado por la depresión, termina *Vista,* que se publica ese mismo año: su primer libro desde que TTT fue editado en 1967. Comprueba que su relación con la escritura ha cambiado, y aunque antes ha dejado que las palabras lleguen al delirio (proceso que culminó en la traducción de *Three Trapped Tigers),* ahora sabe que ellas pueden también llevar al delírium tremens verbal —y se hace cauto—. Así comienza a completar una colección de ensayos y artículos cuerdos en cuya operación invierte un gran tiempo en lograr la cordura de lo simple.

1975   **46**

Su hija Ana, que antes ha abandonado el hogar y luego se ha casado desastrosamente, tiene una hija

—pero no se siente abuelo en absoluto, no porque siga siendo un adolescente eterno, sino porque no cree que la sangre sea más espesa que el agua—. Se publica *O* —que alguien insiste en llamar Cero—, con los artículos y ensayos mencionados y una cronología que algunos toman por una indecente exhibición cuando es un ensayo de prosa biográfica. (Por cierto, esa cronología ha aparecido en todas partes como hecha "a la manera de Sterne", cuando Sterne no escribió ninguna cronología propia, a pesar de lo obsedido que estaba con sus memorias: se trata de un error iniciado por una cronología a Sterne, y la de GCI estaba escrita a la manera de la hecha a Sterne.)

1976   **47**

Escogiendo viejos retazos de un libro que nunca se escribió y que se iba a llamar *Cámara lúcida,* hasta que Nabokov echó a perder ese título, compone un nuevo libro, *Exorcismos de esti(l)o,* con el nombre como un homenaje a Raymond Queneau y añadiendo unos pocos ejercicios verbales. Se propone con él terminar su relación con los fragmentos, que le ha ocupado casi toda su vida literaria. Desde ahora tratará de que haya en su escritura una mayor continuidad, una no visible relación entre las partes y el todo. Se publica *Exorcismos*, como siempre en España, lo que le obliga a reflexionar sobre cómo han acogido siempre (en el pasado y en el presente) los españoles su obra, incluso cuando había intermediarios (censores, un editor voluble, algún crítico más político que políglota) que parecían rechazarla.

1977   **48**

Gracias a un joven escritor español, residente en
Londres y ojo avizor de la ciudad, rescata las añejas,
pero tal vez todavía actuales, conferencias que pronunció peligrosamente en el Palacio de Bellas Artes de
La Habana, en 1962, sobre varios directores de cine
americano que le importaban entonces y todavía parecen importarle, y las reúne en el volumen titulado
Arcadia todas las noches, en el que, contrariando una
práctica habitual, no ha quitado ni puesto coma. Al
final del año ocurre una tragedia que algunos podrían
calificar de exagerada: una desaparición que para él es
una pérdida mayor: después de más de diez años
de compañía continuada, muere repentinamente
Offenbach, el día más desolado del año inglés, Boxing
Day. Casi en simetría, Miriam Gómez le fabrica una
caja hecha con anaqueles de libros y lo entierra con
once rosas blancas en el jardín de los bajos. GCI, con
su aversión por los cadáveres, ayuda al entierro, pero
se niega a ver a su mejor amigo muerto.

1978   **49**

Viaja a la universidad de Yale a pronunciar conferencias, las primeras desde hace dieciséis años. Para
su sorpresa, comprueba que disfruta la lectura de sus
notas, en inglés y en español, y la interpretación en
cubano de sus textos. Visita a Nueva York renovada
con Miriam Gómez y comparten la maravilla metro-
politana: ver la ciudad que tiene en su arquitectura su
monumento.

Hasta aquí el ruido —ahora es la hora del silencio.

BIBLIOGRAFIA

Así en la paz como en la guerra, Ediciones R., La Habana, 1960 (cuentos).
Así en la paz como en la guerra, Editorial Alfa, Montevideo, 1968.
Así en la paz como en la guerra, Seix-Barral, Barcelona, 1971.

Traducciones:

Dans la paix comme dans la guerre, Gallimard, París, 1962.
Cosí in pace come in guerra, Arnoldo Mondadori Editore, Milán, 1963.
Odplywajaca Fala, Panstwowy Instytut Wydawniczy, Varsovia, 1965.

Un oficio del siglo XX, Ediciones R., La Habana, 1963 (crónicas de cine y biografía).
Un oficio del siglo XX, Seix-Barral, Barcelona, 1973.

(Las ediciones españolas de *Así en la paz como en la guerra* y *Un oficio del siglo XX* pueden considerarse definitivas, libres de los errores y erratas de las ediciones cubanas.)

Tres Tristes Tigres, Seix-Barral, Barcelona, 1967 (novela).

Traducciones:

Trois tristes tigres, Gallimard, París, 1970.
Three Trapped Tigers, Harper & Row, Nueva York, 1971.

Tres Tristes Tigres, Arcadia, Lisboa, 1975.
Tre tristi tigri, Il Saggiatore, Milán, 1976.

Vista del amanecer en el Trópico, Seix-Barral, Barcelona,
    1974 (novela).
View of Dawn in the Tropics, Harper & Row, Nueva York,
    1978.
O, Seix-Barral, Barcelona, 1975 (ensayos).
Exorcismos de esti(l)o, Seix-Barral, Barcelona, 1976 (frag-
    mentos).

Cuentos y ensayos y fragmentos publicados en Checoslovaquia, China, Dinamarca, Suecia, Holanda, Inglaterra y diversos países latinoamericanos. Artículos publicados don-
dequiera.

BIBLIOGRAFIA SOBRE CABRERA INFANTE

GUILLERMO CABRERA INFANTE, Varios autores: «Gui-
    llermo Cabrera Infante: Conversación de *Tres Tristes
    Tigres».* Una entrevista de Rita GUIBERT.
—«Guillermo Cabrera Infante (Cuba 1929-   )», David
    P. GALLAGHER.»
—«Estructura y significaciones de *Tres Tristes Tigres,* obra
    abierta», Luis GREGORICH.
—«Orden y visión de *Tres Tristes Tigres»,* Julio MATAS.
—«Cabrera Infante», Julio ORTEGA.
    Contiene el volumen además textos de GCI: *Orígenes,
    Delitos por bailar el chachachá* —fragmento de una obra
    en preparación: *Cuerpos divinos*— y unas muestras de
    TTT traducidas.
    Editorial Fundamentos, Madrid, 1974.

ALEMÁN, Luis: «Una concepción lúdica de la literatura
    en la novelística hispanoamericana», en *Una aproxima-
    ción a la moderna literatura hispanoamericana,* Aula de
    Cultura de Tenerife, Canarias, 1974.

GALLAGHER, David P.: «Guillermo Cabrera Infante (Cuba 1929-   )», en G. CABRERA INFANTE.

GOYTISOLO, Juan: «Lectura cervantina de *Tres Tristes Tigres*», en *Disidencias*, Seix-Barral, Barcelona, 1977.

GUIBERT, Rita: «Guillermo Cabrera Infante: Conversación de *Tres Tristes Tigres*» (entrevista), en G. CABRERA INFANTE.

LAMB, Anthony: «Capítulo catorce de *Tres Tristes Tigres*», en *La estilística aplicada,* Scott, Foresman and Company, Purdue, 1970.

LEVINE, Suzanne Jill: «La escritura como traducción: *Tres Tristes Tigres*», en *Revista Iberoamericana,* Pittsburgh, 1975.

MAC ADAM, Alfred: «*Tres Tristes Tigres:* El vasto fragmento», en *Revista Iberoamericana,* Pittsburgh, 1975.

MATAS, Julio: «Orden y visión de *Tres Tristes Tigres*», en G. CABRERA INFANTE.

NELSON, Ardis: «*Tres Tristes Tigres* y el cine», en *J. M. Hill Monograph Series,* N.° 3, primavera, 1976.

ORTEGA, Julio: «Cabrera Infante», en G. CABRERA INFANTE, y *Relato de la Utopía,* La Gaya Ciencia, Barcelona, 1973.

—«*Tres Tristes Tigres*», en *La contemplación y la fiesta,* Monte Avila Editores, Caracas, 1969.

RODRÍGUEZ MONEGAL, Emir: «Estructura y significaciones de *Tres Tristes Tigres*», en G. CABRERA INFANTE.

SÁNCHEZ BOUDY, José: *La nueva novela hispanoamericana y «Tres Tristes Tigres»,* Ediciones Universal, Miami, 1971.

CAIRO RESNICK, Claudia: «The Use of Jokes in GCI's *TTT*», en *Latin American Literary Review,* 1976.

FUENTES, Carlos: «On *TTT*», en *Review 72,* Center for Inter-American Relations, Nueva York, 1972.

MITCHELL, Phyllis: «The Reel Against the Real: Cinema in the Novel of GCI», en *Latin American Literary Review,* 1977.

SIEMENS, William L.: «Women as Cosmic Phenomena in *Tres Tristes Tigres*», en *Journal of Spanish Studies,* 1975.

—«Heilsgeschichte and the Structure of *Tres Tristes Tigres.*»

—«GCI's *Tres Tristes Tigres.*»

SOUZA, Raymond D.: «Cabrera Infante: Creation in Progress», en *Major Cuban Novelists: Innovation and Tradition,* University of Missouri Press, Columbia, 1976.

TITTLER, Jonathan: «Intratextual Distance in *TTT*», en *Modern Language Notes,* 1978.

MICHA, René: «Deux echantillons du baroque cubain», en *Les Temps Modernes,* París, 1972.